Die Psyche streicheln

Franz Benedikter

Die Psyche streicheln

Die Geheimnisse zärtlicher Berührung

Wie durch Streicheln Hormone freigesetzt werden, die glücklich,
gesund und schön machen und für das gesamte körperliche und
geistige Wohlbefinden unerläßlich sind

WINDPFERD

1. Auflage 1995
2. Auflage 1996
© by Windpferd Verlagsgesellschaft mbH, Aitrang
Alle Rechte vorbehalten
Umschlagdesign: Wolfgang Jünemann – unter Verwendung
einer Illustration von Ute Rossow
Zeichnungen im Innenteil: Ute Rossow
Gesamtherstellung: Schneelöwe, D-87648 Aitrang
ISBN 3-89385-143-7

Printed in Germany

Inhaltsverzeichnis

Einleitung

Die neue Zeit der Zärtlichkeit

Die Psyche streicheln ist ein unglaublich wirkungsvolles Programm, das über die Berührung bestimmter Hautzonen extrem entspannende, stimmungshebende oder euphorisierende Hormone freisetzt – die ausgeglichen, gesund und glücklich machen. Darüber hinaus ist es eine Anleitung, uns von Hemmungen und Blockaden zu befreien und damit unsere ganz persönliche Ausstrahlungskraft zu steigern. Die sanfte, zärtliche Berührung der Haut löst über die Psyche hormonelle Reaktionen aus. Endorphine bringen Glücksgefühle, erhöhen die Leistungsbereitschaft, heben das Lebensgefühl und steigern die sinnliche Wahrnehmung, Östrogen und Testosteron sind wahre Energieträger und Verjüngungsmittel.

Zärtlichkeit, das ist vor allem Hautkontakt, das Spüren von Wärme und Nähe. Wer diese Gefühle nicht zuläßt, verlernt sie. Sie verkümmern wie Muskeln, die nicht mehr genutzt oder trainiert werden. Mit einem Partner zusammenzusein bedeutet nicht zwangsläufig, auch auf der zärtlichen Ebene völlig befriedigt zu sein. Zu viele von uns haben verlernt, was Zärtlichkeit ist. Auf der anderen Seite zeugen Streichel-Studios, Tantra-Seminare und Zärtlichkeits-Trainings von der Sehnsucht nach Berühren und Berührtwerden. Vielleicht kann man ohne Zärtlichkeit leben, aber nicht dabei glücklich sein. Wer über einen längeren Zeitraum nicht zärtlich berührt und gestreichelt wurde, ist weniger offen, wird menschenscheu und verliert an Herzenswärme.

Ein gesunder Mensch hat eine große Sehnsucht nach Berührung. Sensitive Berührungen wirken sehr entspannend und sind zugleich sinnliche Erfahrungen.

Das, was wir mit den hier vorgestellten Übungen tun, nennen wir die *Endogene Induktion*. Dabei passiert folgendes: die von einem bestimmten Körperteil und dessen Hautzone ausgehende Wirkung regt den Körper von innen, aus sich selbst heraus, an, zu einer hormonalen Harmonie zu kommen.

Das hier vorgestellte kompakte Übungsprogramm zeigt, wie wir durch Selbstmassage und Partnermassage, die viel mehr ein zärtliches Berühren ist, an bestimmten auslösenden Zonen des Körpers positiv über die Psyche auf den Körper einwirken können. Dabei lehren wir unseren Körper, bestimmte Hormone in genau den Mengen bereitzustellen, wie wir sie für ein glückliches, gesundes und befreites Leben brauchen.

Die *Endogene Induktion* geht davon aus, daß es nicht notwendig ist, Hormone, die unser Körper selbst in ausreichender Menge herstellen kann, von außen zuzuführen. Wir müssen nur lernen, auf welche Weise wir diesen Selbstharmonisierungsprozeß unterstützen können. *Die Psyche streicheln* ist ein Weg zu diesem wohltuenden Ausgleich. Dabei zeigt sich unser Körper als unser bester Freund.

Alle Übungen sind in langjähriger Praxis erprobt – und ich danke allen Teilnehmern für die ausführlichen und offenen Berichte über die Wirkungen, die die Übungen bei ihnen ausgelöst haben. Es ist für mich immer wieder eine unglaubliche Erfahrung, im Gesichtsausdruck, in der Körperhaltung und in der persönlichen Ausstrahlung der Teilnehmer den positiven Wandel, der durch die Übungen ausgelöst wurde, miterleben zu dürfen. Ich habe immer wieder gesehen, wie sich durch eine einzige Übung der seelische Zustand eines Menschen komplett verändert hat, wie aus Verzweiflung Sicherheit, aus Pessimismus Optimismus und aus einem In-sich-gefangen-Sein eine wohltuende Offenheit wurden.

Wenn ich meine Arbeit und das Buch so betrachte, habe ich das Gefühl, daß aus einer noch recht kleinen, zarten und empfindlichen Pflanze mit tiefen und guten Wurzeln bei guter Pflege ein kräftiger und großer Baum wird ... ein Wesen, das Starksein und Schwachsen gleichermaßen leben kann.

Ich wünsche uns allen Offenheit für Veränderungen und Wachstum auf allen Ebenen.

Die Psyche streicheln

Über den Körper auf die Psyche einwirken

Mehr, als wir gemeinhin glauben, wird unser gesamtes Leben durch Abhängigkeiten, durch eine fortwährende Folge von Ursache und Wirkung reglementiert. Und unsere geistigen, psychischen und sexuellen Aktivitäten werden weitgehend von unserem körperlichen Zustand bestimmt. Auch hier besteht eine ursächliche Beziehung.

Die Art, wie wir denken, was wir fühlen und wollen, ist in sehr starkem Maße von unserer jeweiligen Hormonlage abhängig, d. h. von der jeweils produzierten beziehungsweise ausgeschütteten Menge von in der Wirkung ganz unterschiedlichen Hormonen.

Hormone sind somit dafür mitverantwortlich, ob wir glücklich, gesund und schön sind.

Unsere Hormonlage wiederum wird einerseits durch körperliche, andererseits durch psychische Auslöser gesteuert.

Für unser gesamtes Wohlbefinden ist das harmonische und enorm komplexe Zusammenspiel von allen Organen (Herz, Blutkreislauf, Leber, Nervensystem, Lunge, Nieren, Magen u. a.), den Muskelgruppen und dem endokrinen System bestimmend.

Wenn unsere Aufmerksamkeit ganz auf einen schmerzenden Magen konzentriert ist, weil wir schlecht oder zuviel gegessen haben, können wir nicht mehr klar denken, fühlen oder einen Trieb ausleben. Dieser zeigt sich auch als *Wunsch,* z. B. Musik zu genießen, als *Bedürfnis,* z. B. gemütlich einen Tee zu trinken, oder als *Interesse,* z. B. einen Artikel oder ein Buch zu lesen. Der Gedankenablauf wird durch die Schmerzwahrnehmung abgelöst, Gefühle und Triebe davon in den Schatten gestellt.

Die Wechselwirkungen von Körper und Psyche sind untrennbar – und dieses Zusammenspiel wirkt sich aus:

9

- **auf die Art des Denkens:** Auf unsere Gedanken wirken sowohl die freigesetzte Menge von *Adrenalin, Noradrenalin und Dopamin* als auch die vitalen Hormone Testosteron und Östrogen ein. Adrenalin beschleunigt unsere mentalen Aktivitäten. Die vitalen Hormone hingegen beeinflussen das Gedankenleben durch eine ganze Bandbreite von Einstellungen, die zwischen Optimismus und Pessimismus, Euphorie und Depression, Konzentrationsfähigkeit und Zerstreuung, Potenz und Impotenz schwanken können. Wie im nachfolgenden Kasten ausgeführt, konzentriert sich unser Interesse auf bestimmte Hormone, die innerhalb eines komplexen Systems maßgebend sind, und betrachten die Hormonsysteme, deren Wirkung und Gegenwirkung verständlich ist – jene, auf die wir mit den folgenden Übungen einwirken können.

- **auf die Art, Gefühle aktiv zu leben und auszudrücken:** Bei jedem Menschen gibt es Schwankungen zwischen Nach-außen-Gehen (Extrovertiertsein) und Sich-zurückziehen (Introvertiertsein), zwischen Hemmung und Enthemmung, Zuneigung und Abneigung in allen denkbaren Abstufungen. Wir können uns frei fühlen oder aber unter der verkrampfenden Wirkung von Blockierungen leiden. Auch hier ist immer die „körperliche" Hormonlage maßgebend beteiligt. Im *Gefühls*menschen zeigt sich beispielsweise das Übergewicht der freigesetzten *Endorphine*.

- **auf das Triebleben** im Bereich der intimen, beruflichen wie soziokulturellen zwischenmenschlichen Beziehungen. Drang, Stärke, Entschlossenheit entsprechen der Menge der freigesetzten vitalen Hormone von Testosteron und Östrogen.

Während uns diese Bedeutung des Körpers bewußt wird, können wir das Bedürfnis verspüren, uns mit unserem Körper intensiver zu beschäftigen, ihn intensiver zu erleben. Dies gilt zunächst für den gesunden Menschen, der seine Höchstleistung erreichen will, aber insbesondere auch für denjenigen, der unter bestimmten Störungen wie Konzentrationsschwäche, Mangel an *Power* und Vitalität oder Hemmungen im Gefühlsbereich und einer zu schwachen Libido (sexuelle Lust) leidet.

Die körperliche Seite der Psyche

Unsere Einstellungen, unsere psychische Kondition und unsere Aktivitäten werden ununterbrochen von biochemischen Prozessen beeinflußt, die sich in unserem Organismus abspielen und die andere – also die organische – Seite der Psyche darstellen.

Biochemische Prozesse sind Auswirkungen einer sehr großen Anzahl von Substanzen, die entweder freigesetzt oder blokkiert werden. Offensichtlich besteht eine den Hormonen, den psychischen Steuersubstanzen, übergeordnete Kontrollinstanz, der die letzte Entscheidung zusteht. Es handelt sich um das „Ich", das Ergebnis aller im Laufe des Lebens im Gedächtnis gespeicherten Wahrnehmungen, die intuitiv zu Rate gezogen werden und zur Entscheidung führen.

Hier beschreiben wir nur einige der wichtigsten Hormonsysteme, deren Wirkungsmechanismen auf das Gedanken-, Gefühls- und Sexualleben gesichert erscheint. Wie diese Hormone angeregt werden, erfahren wir mit den Übungen im zweiten Teil des Buches. Das ist zugleich der Weg, über den Körper auf die Psyche einzuwirken.

Adrenalin und Noradrenalin – die Streßhormone

Adrenalin und das ihm sehr ähnliche *Noradrenalin* bewirken, daß Körper und Geist sich unmittelbar darauf einstellen, in einem Notzustand sofort die eigene Höchstleistung erbringen zu können. Entwicklungsgeschichtlich gesehen war der Mensch damit darauf vorbereitet, in einem Moment akuter Gefahr, in dem es etwa anzugreifen oder zu fliehen galt, die richtige überlebenswichtige Reaktion zu zeigen.

Adrenalin beschleunigt den Herzschlag und den Atemrhythmus, verengt die Blutgefäße und steigert somit den Blutdruck, verstärkt die organischen Leistungen und das Stoffwechselgeschehen. All dies bewirkt, entsprechend der persönlichen Er-

11

fahrungslage, einen Zustand von Spannung und höchster Alarmbereitschaft. Die Gefahrensituationen haben sich heute weitgehend verlagert – vom körperlichen zum psychischen Streß. Hauptsächlich finden wir sie in Partnerschaften, in der Familie, im sozialen Bereich und besonders im Arbeitsleben – Bereiche, in denen wir Höchstleistungen vollbringen müssen. Höchstleistung zu bringen wird für viele zu einem Dauerzustand. Das bedeutet, daß wir uns fortwährend, bewußt oder unbewußt, in einen psychosomatischen Spannungszustand versetzen, der nicht unserer eigentlichen Natur entspricht und oft auch die Grenzen des Tragbaren überschreitet: Dauerstreß. Das heißt, daß wir unsere Neuronen, unser Informationsnetzwerk überbeanspruchen, uns also in einen *neuro*tischen Zustand bringen, in dem das eigentlich Menschliche (etwa der Großteil der Gefühle, von denen nur das Gefühl Angst überdauert) nicht mehr gelebt werden kann.

Endorphine – die Stimmungsmacher

Endorphine sind vom Körper unter gewissen Bedingungen bereitgestellte morphinähnliche Substanzen. Sie erzeugen Wohlbefinden und Wohlgefühl. Früher waren sie das körpereigene schmerzstillende Mittel. Aber heute, wo unser Körper nicht mehr zwischen körperlichem und seelischem Schmerz unterscheidet, bedeutet ihr Fehlen auch körperlichen Schmerz und signalisiert allgemein einen Mangel an Wohlbefinden.

Es geht dabei nicht so sehr um sexuelle Wohlgefühle, sondern um das psychophysische Gefühl von Wärme und Geborgenheit, das wir im intimen, gefühlvollen Umgang wahrnehmen. Insbesondere scheinen die Endorphine mit einem Großteil der Mutter-Kind-Beziehung zusammenzuhängen. In gewissem Sinn sind sie die Gegenspieler des Adrenalins, führen Entspannung herbei, lenken uns zu menschlicher Nähe.

Die vitalen Hormone – sie machen Lust auf Liebe

Testosteron/Östrogen: Diese Hormone, also Substanzen, die in den Hoden und Ovarien (Eierstöcken) erzeugt werden, stehen in engem Zusammenhang mit den sexuellen Aktivitäten und der körperlichen Vitalität. Sie bewirken die verschiedenen Phasen der Fortpflanzung, also geschlechtliche Lust, Geschlechtsverkehr, Schwangerschaft und Geburt. Sie erzeugen häufig ein inneres Gefühl von Sinnlichkeit, des Reizes, der Kraft und ebenso den Trieb, sich mit der Umwelt zu messen (auch in der *geistigen Leistung*) und haben einen großen Einfluß auf die Vitalität.

Zum vierten System gehören Hormone, die in ihrer Zusammensetzung noch weitgehend unbekannt sind, deren Wirkung wir aber deutlich erleben, weil sie das körperliche Verhältnis zum Partner regeln. Es handelt sich um die Partnerschaftshormone.

Die Partnerschaftshormone

Diese Hormone können wir als biochemische Botschafter zwischen Körper und Körper – bei offensichtlicher Wechselwirkung auf die Psyche – betrachten. Sie werden durch die Haut übermittelt und als Pheromone (Duftstoffe) über den Geruchssinn oder über den Geschmackssinn wahrgenommen.

Andosteron wird von den nach außen gerichteten Drüsen hergestellt, besonders in bestimmten Zonen: Brust, Achselhöhlen, im Genitalbereich. Andosteron ist auch im Speichel vorhanden, es erzeugt und steigert die sexuelle Lust beim Mundkontakt, also beim Küssen.

Hautsubstanzen werden von den Hautdrüsen, besonders den Lippen und vom Zahnfleisch produziert. Ihre Wirkung, soweit bekannt: Steigerung des intimen, erotischen Kontaktbedürfnisses und Auslösung allgemeiner Erregung. Natürlich gibt es auch mögliche Anti-Wirkungen: ein starker oder überstarker Geruch kann natürlich auch hemmend wirken. Entscheidend ist die persönliche Empfänglichkeit. Wer sich vor bestimmten Gerüchen ekelt, blockiert die natürliche Wirkung dieser Duftstoffe und kann sogar antagonistisch wirkende Hormone produzieren. Auf eine Dusche vor der Begegnung müßte eine anschließende Schweißausschüttung folgen, um für langsam in Schwung Kommende genug olfaktorischen sinnlichen Anreiz zu bieten: ausgelassenes Tanzen oder eine stark erwärmende Gymnastik können hier helfen. Die Kosmetik bietet hierzu vielerlei Täuschungen an: durch Lippenstift wird eine kräftigere Durchblutung vorgetäuscht, gewisse Parfums wollen die Wirkung der normalerweise im Schweiß enthaltenen Hormone ersetzen. Wir können aber auch all das, was diese Hilfsmittel uns bieten, selbst mit unseren eigenen Hormonen erzeugen.

Zu den Partnerschaftshormonen gehören auch die Begleiterscheinungen von *Dopamin* und *Noradrenalin*. Beide sind eigentlich Neuromodulatoren und beeinflussen das Gedankenleben. Sie werden im Gehirn erzeugt und bewirken neben ihrer Hauptaufgabe, dem Lustgefühl, verschiedenste Arten von Verlangen wie Hunger, Durst und den Geschlechtstrieb. Sie reagieren vor allem auf visuelle Sinnesreize, in weit geringerem Maße auf Riechen und Schmecken.

Noch mehr Hormone für die Sinnlichkeit

Interessant ist auch das, was man bisher über die Wirkung folgender Hormone, die nicht bewußt beeinflußbar sind, annimmt.

Oxytocin, ein Gehirnhormon, das die unwillkürliche Kontraktion bestimmter Muskeln bewirkt. Bei der Frau hauptsächlich das Zusammenziehen der Gebärmutter während der Geburt, das Fließen der Muttermilch. Die Auswirkungen auf die Sexualorgane sind: die – auch bewußt steuerbare – erregende Kontraktion der Penis- und Vaginamuskeln. Oxytocin hat noch einen bemerkenswerten psychischen Effekt: Es regt zu Liebesträumen, zu Lust auf Nähe und Zärtlichkeit an.

Ayetylcolin findet sich in den Nervenfasern von Klitoris und Penis. Es steigert den Blutzufluß und bewirkt die Erektion von Penis und Klitoris.

Luliberin wirkt sich im Hypothalamus aus und hat den vitalen Hormonen Testosteron und Östrogen gegenüber Kontrollfunktion. Das Lustbedürfnis wird so gesteuert.

Prolactin ist bei Mann und Frau vorhanden. Es hemmt das Lustbedürfnis und bewirkt – in größeren Mengen – Impotenz beim Mann, Orgasmusstörungen bei der Frau.

Progesteron wird in den Eierstöcken erzeugt und während der Schwangerschaft freigesetzt, es ähnelt dem Östrogen und hat – in Wechselwirkung zu diesem – Auswirkungen auf das Sexualleben.

Das sind die heute geltenden endokrinologischen Ansichten über die psychosomatischen Auswirkungen der für uns bedeutendsten Hormonsysteme, soweit sie für uns hier interessant sind.

Dauerstreß verspannt die Muskeln und blockiert den Energiefluß

Streß erzeugt Spannung – und zwar immer dann, wenn wir den streßfördernden Situationen über einen längeren Zeitraum ausgesetzt sind. Wir zwingen uns auf der körperlichen Ebene zu einer gesteigerten Aktivität, die körperlich eigentlich nicht mehr tragbar ist.

Das kann bewußt geschehen, etwa aus einem übertriebenen Leistungsdrang oder Zwang oder unbewußt aus einem allgemeinen Angstgefühl heraus. Die dabei entstehende Spannung können wir auf der **psychischen Ebene** wahrnehmen, indem wir nervös, angespannt und überreizt sind, aber noch einfacher und offensichtlicher können wir sie als **körperliche Spannung** fühlen.

Einzelne verhärtete Muskelgruppen, etwa im Bauchbereich, im Nacken oder in der Brustgegend, lassen diese Spannung ebenso schmerzhaft wie schädlich werden: Früher oder später, aber ganz sicher irgendwann kommt es zu irreversiblen Schäden an den verschiedenen Organen, bei denen zunächst die Funktion gestört wird, worauf dann chronische organische Krankheiten folgen.

Gefährlich wird es für unsere Gesundheit dann, wenn wir uns an diese Schmerzen gewöhnt haben und Signale, die uns der Körper über Schmerzen vermitteln will, nicht mehr wahrnehmen.

Wenn wir uns in diesem Zustand mit der forschend feinfühligen Hand abtasten, können wir Verhärtungen in einer einfachen Art von Selbstdiagnose feststellen: Gewisse Muskeln sind hart, angespannt und im Extremfall auch energetisch blockiert. Wenn wir sie nun ganz einfach „massieren", fühlen wir zunächst einen leichten Schmerz, aber nach kurzer Zeit schon kann die warme Hand die Spannung lösen und somit das wunderschöne Wohlbefinden erzeugen, das grundsätzlich mit Entspannung einhergeht – immer dann, wenn wir mehr oder weniger intensiv von Spannung auf Entspannung „umschalten".

Wer hat sich noch nie, besonders bei Streß, nach dem Wohlgefühl gesehnt, das ein einfacher Strandspaziergang, ein Wandern über grüne Wiesen bewirken kann? Wer hat sich nicht schon in Momenten, wenn die eigenen Ängste übermächtig wurden, einen freundlich die Schulter umfassenden Arm oder irgendeine andere Art des Ausdrucks von Liebe, von Verstandensein und Beschütztwerden gewünscht?

Wenn wir diesen Wunsch verspüren, dann *müssen* wir ihn befriedigen, denn wir können ihn befriedigen – auch innerhalb unser eingeschränkten Möglichkeiten, die ja immer mehr bieten, als wir uns zunächst vorstellen können. Was uns davon abhält, unsere Wünsche zu befriedigen, sind meist nur die Hemmungen, also die verschiedenartigsten *psychischen* Widerstände. Doch wir können darauf Einfluß nehmen.

Konkret heißt das ganz einfach: Vom Stuhl aufstehen, das „Werkzeug" aus der Hand legen, mit zwei Schritten beginnen, um dann langsam die Gedanken von dem abzuwenden, was uns bedrückt. Mit diesem kleinen Willensakt öffnen wir die Tür zu einer neuen Welt, die wir als subtiles Traumerlebnis oder als intensive Vorstellung erleben können.

Taktile Hypnose (Berührungshypnose)

Wenn uns bewußt wird, daß wir auf verschiedenste Weise auf unser Wohlbefinden einwirken können, warum „erheben" wir uns nicht einfach und bringen unseren Körper in eine angenehme, entspannende Lage?

1. Weil die Anfangsspannung noch zu groß ist: Sich hinzulegen, die Aktivität aufzugeben heißt, daß wir uns in dem Moment, in dem wir die – immerhin ablenkende – Tätigkeit abbrechen, der Anspannung völlig ausliefern, weil wir ihr Raum geben. Das müssen wir eingehen. Wir lassen los, überlassen uns der fallenden Phase, doch ihr folgt bald die steigende. Die Wahrnehmung der Ängste wird durch angenehme Empfindungen abgelöst.
   Wir brauchen uns einfach nur zu streicheln, unsere wärmende Hand auf der schmerzhaften Stelle zu fühlen. Damit leiten wir eine einfache Hypnose über den Tastsinn ein. Wir ersetzen kurzerhand das bei der Hypnose gemeinhin verwendete Sehen durch das sinnlich stärker wahrnehmbare Tasten, was uns ganz gefangennehmen kann, Sorgen vergessen läßt – einfach hypnotisiert.

2. Weil wir verlernt haben, wie Kinder zu sein – Kinder, deren Triebe noch ursprünglich und unverformt sind, die einfach zu laufen, raufen, spielen beginnen und ihren Körper bewegen, ohne sich den auferlegten Einschränkungen zu unterwerfen.
   Der *erwachsene Mensch* darf ja nicht einmal mehr weinen, seine Gefühle frei ausdrücken, den Körper nach Belieben bewegen, weil es sich nicht ziemt und weil er keine Zeit dazu hat – oder besser gesagt, sie sich nicht nimmt.

3. Schließlich wissen wir nicht mehr, was gut und angenehm für uns ist: Wir sind einfach „ver-bildet", haben ein überaus großes technisches – gesellschaftlich gesprochen – *nützliches* Wissen, haben uns aber weit davon entfernt, Seele, Psyche und Körper mit ihren angemessenen Ansprüchen zu verstehen. Wir haben es verlernt, mit unseren Organen zu sprechen, auf das zu hören, was Leber, Magen, Lungen oder besonders das *Herz* uns sagen können. Meistens hören wir erst hin, wenn unsere Organe so starke

schmerzhafte Signale (Krankheiten) geben, daß wir sie nicht mehr ignorieren können.

Aber zu diesem Zeitpunkt haben Körper und Seele oft schon extrem an Lebensqualität verloren – vegetieren in einer Art dunklem Tunnel dahin, aus dem wieder herauszufinden es einige Anstrengung braucht. Und das geschieht nur, wenn wir die Prioritäten wieder verlagern.

Unser Wohlbefinden ist auch eine hohe Aufgabe – und das nicht nur uns gegenüber. Wenn wir nicht alles geben können oder wollen, was Gesellschaft und Familie von uns verlangen, dann müssen wir eben lernen, uns auf die für unsere Lebensphilosophie wichtigeren Dinge zu konzentrieren. Die wenigsten aber tun das. Im Grunde *wollen* wir die Bedürfnisse unseres Körpers nicht mehr verstehen. Wir mißachten ihn, wir mißbrauchen ihn, indem wir ihn ausbeuten, wir mißhandeln ihn gnadenlos, ohne zu wissen, ob wir später in der Lage sind, die Quittung zu bezahlen, die er uns geben wird.

Die Rechnung wird uns in jedem Fall präsentiert – wenn nicht heute, dann morgen. Denn wir ernten, was wir säen, unsere Lebensphilosophie kreiert unseren Lebensinhalt.

Wenn jemand an „*Kopfschmerzen*" leidet, zeigt er ein sehr ernstzunehmendes „Alarmsignal", das eine nicht ungefährliche Überbeanspruchung von Geist/Gehirn signalisiert. Diese Art von geistiger Übermüdung kann bewußt oder unterbewußt (dann „merken" wir die Ausbeutung der verständlicherweise sehr schmerzempfindlichen Gehirnzellen nicht) geschehen. Davon unberührt macht dieser Mensch mehr oder weniger gleichgültig weiter und läßt sein Organ, das derartig klare Zeichen von Übermüdung gegeben hat, auf Hochtouren weiterarbeiten. Vielleicht hilft er sich mit einer schmerzlindernden Tablette, starkem Kaffee oder biochemisch, indem er noch mehr Adrenalin freisetzt, sich „weiterpeitscht" zur Höchstleistung.

Er folgt dieser Mahnung nicht, solange noch Zeit ist: durch Ausruhen, Relaxen oder körperliche Übungen könnte er einen Rückfluß des Blutes aus dem Gehirn in den Körper und somit eine Verminderung der Gehirntätigkeit erreichen.

Wir gehen den Ursachen der Schmerzen zu selten nach. Wir begnügen uns, das Symptom zeitweise zu bekämpfen, und reagieren nur auf die Schmerzschwelle. Solange das funktioniert und noch ertragbar ist, handeln wir wie ein Autofahrer, der weiterhin auf das Gaspedal drückt, während der Motor schon beängstigende Töne von sich gibt.

Wer an Schlaflosigkeit leidet, weil er übermüdet zu Bett geht, während in seinem Gehirn noch zu viele Probleme toben, schläft aus körperlicher Müdigkeit ein, ohne in seinem Kopf aufgeräumt zu haben, obwohl er weiß, daß ihn die zu intensive Gedankentätigkeit in Form von Träumen allzubald auf unangenehme Weise wieder aus dem Schlaf jagen wird. Dann leidet er Qualen, mit offenen Augen dem gedanklichen Chaos hilflos ausgeliefert („Ich kann einfach nicht mehr einschlafen!"). Das wiederholt sich Abend für Abend. Vielleicht hilft man sich mit Tabletten, die die Probleme aber nur dämpfen oder ihre Wahrnehmung um höchstens acht Stunden verschieben.

Besser einschlafen

Es würde uns sehr guttun, wenn wir uns vor dem Einschlafen ein wenig mit uns selbst befassen und nicht einfach todmüde ins Bett fallen. Aber auch das müssen wir erst wieder lernen, genauso wie wir lernen müssen, unseren Energiehaushalt zu regeln.

So selbstverständlich, wie wir abends die *Zähne* putzen, sollten wir auch für Klarheit im Kopf sorgen, unsere Gedanken ordnen. Wenn wir mit einem Partner zusammen sind, sollten wir mit ihm sprechen – über alles, was uns am Herzen liegt. Wenn wir allein sind, tut es gut, auf den Balkon zu gehen, das Fenster zu öffnen, bewußt die frische Nachtluft einzuatmen oder den Blick auf die Sterne zu werfen – und dabei die Ruhe, die der Anblick der immerwährenden kosmischen Ordnung in uns auslöst, aufzunehmen. Wenn wir uns einfach Zeit zugestehen, beginnt der Selbstregulierungsmechanismus unseres Geistes ganz von allein zu arbeiten, zu ordnen, abzuschalten.

Wie wir lernen können, diesem positiv wirkenden Mechanismus wieder Raum zu geben, ist auf den folgenden Seiten anhand ganz einfacher Übungen beschrieben. Sie sind die beste Hilfe zur Selbsthilfe.

Manchmal scheint es paradoxerweise das Schwerste zu sein herauszufinden, was uns selbst guttut. Auch wenn wir sensibel genug sind, die Ungleichgewichte in unserem Energiesystem wahrzunehmen, wissen wir manchmal nicht, wie wir sie umsetzen können. Einschlafschwierigkeiten sind heute enorm verbreitet. Aber eine Schlaftablette vermag wenig mehr, als ein Glas Wein tun kann. Beides sind im eigentlichen Sinne Drogen und haben ihre Nebenwirkungen. Was wir in unserem überlasteten Gedächtnis nicht mit dem bewußten Gebrauch von *wenig* Alkohol löschen können, schafft auch die beste Tablette nicht.

Durch Sitzen am Arbeitsplatz, Autofahren, Computerarbeit werden viele unserer natürlichen Körperfunktionen und Muskelaktivitäten eingeschränkt Wir können daran grundlegend wenig ändern, weil es heute Bestandteil unseres Lebens ist, wir sind diesbezüglich gewissen gesellschaftlichen Normen unterworfen. Dabei dürfen wir jedoch nicht vergessen, daß nicht nur die ökonomische Lebenserhaltung, sondern auch das eigene gesundheitliche Wohlbefinden unerläßlich wichtige Werte sind und daß wir diese beiden, scheinbar antagonistischen Notwendigkeiten miteinander positiv verbinden können. Leistung und körperliche und seelische Gesundheit müssen sich nicht ausschließen, wenn wir beides in einen gesunden Rhythmus integrieren. Nach einer Woche Dauerstreß ist es wesentlich schwieriger, die Spannung wieder abzubauen, als einmal am Tag. Gerade unsere Kopflastigkeit, die uns von einem natürlichen Umgang mit unserem Körper entfernt hat, kann uns durch Bewußtmachung helfen, diesen Schritt wieder in die umgekehrte Richtung zu tun, wieder in Kontakt mit unserer eigentlichen Natur zu kommen, dem Körper sein Recht auf Wohlgefühl einzuräumen.

Sowohl unsere Muskeln als auch unsere Organe werden sich für die ihnen zugewandte Aufmerksamkeit mit einem neuen Wohlbefinden, das sie uns schenken, bedanken. Das ist bei dem nachfolgenden Übungsprogramm unser allererstes Ziel. Langfristig geht es um die Erhaltung von Vitalität, jugendlicher Kraft und einem leistungsfähigen Organismus, der uns gute Gefühle gibt.

Die auf den folgenden Seiten vorgestellte „Massage" geht im Prinzip auf die Berührung beziehungsweise Behandlung zurück, wie sie liebevolle Eltern ihren Kindern zuteil werden lassen.

Zärtliche Berührung

Die ursprünglichste Form von zärtlicher Berührung erfahren wir in frühester Kindheit. Schauen wir einer Mutter zu, die sich liebevoll auf die Wiege zubewegt, zu ihrem weinenden Kind. Sie berührt es auf eine sehr bestimmte Art und Weise, wiegt es in ihren Armen. Dann wird geschaukelt, gestreichelt, die eigene Wange an die des Kindes gedrückt; sie legt die warme Hand auf den kleinen Bauch, in welchem sich schon erste Zeichen der „Spannung" zeigen, die viel später und nur zu oft unseren Unterleib quälen. Der Po des Kindes wird getätschelt – in einem ganz bestimmten Rhythmus. Mit dem Kind im Arm bewegt sich die Mutter und schaukelt es allein schon durch die Art ihres Gehens. Hier geschieht immer wieder ein „Wunder" – Weinen wandelt sich in Lächeln.

Die Berührung von Mutter und Kind

Wenn dann jemand sagt, daß das Kind verwöhnt werde, ist das verständnislos und herzlos. Der kleine Mensch weint oft „nur", weil er schmerzvoll die Trennung von der Ganzheit erlernen muß. Liebe zu geben und Liebe zu nehmen ist immer eine unumgängliche Voraussetzung für ein psychisch gesundes Leben, beides ist langfristig ebenso notwendig wie Essen und Trinken. Wie ein Mensch an Wassermangel verdursten kann, so kann er auch an Liebesmangel vertrocknen.

Psychosomatisch gesehen, kann man sagen, daß Kinder leiden, weinen, wenn sie einen Endorphinmangel haben. Dieser Mangel kann dann durch Tätscheln und Schaukeln, Hautkontakt und rhythmische Bewegungen wieder aufgebaut werden – dabei wird dieses „endogene Analgetikum" wieder verstärkt freigesetzt, und das Kind erlebt Glücksgefühle.

Loslassen – das Gefühl der Schwerelosigkeit

Ein anderes wichtiges Erlebnis ist das Gefühl unbedingten Vertrauens, das Sich-fallenlassen-Können. Der Vater läßt das Baby die Schwerelosigkeit empfinden, wirft es etwas in die Luft, um es bald darauf wieder mit sicheren Händen aufzufangen. Der Ausdruck des Kindes ist vielsagend: zunächst ist es angstvoll, dann überfreudig. Dabei hat der Vater nichts anderes getan, als die im Kind noch kräftig in Erinnerung stehende Schwerelosigkeit wieder ins Gedächtnis zu rufen, wie sie im Mutterleib – dem irdischen Paradies des Menschen – bis zur Geburt erlebt worden ist.

Wer von uns hat nicht wenigstens einmal in sich den Wunsch gespürt – wenn schon nicht ganz auf diese Art – so wenigstens mit einer ähnlichen Einstellung von seinem Partner, von seinem Freund behandelt zu werden? Warum schämen wir uns manchmal, dieses elementare Bedürfnis zu zeigen? In uns steckt nicht ein Kind; in uns *ist*, mit all seinen Bedürfnissen noch immer ein *Kind* und wird es auch immer bleiben. Diese Schwerelosigkeit ist Teil des Rituals, die Braut über die Schwelle zu tragen. Auch in einem liebevollen sexuellen Austausch ist diese Schwerelosigkeit Teil des „Fliegens"!

Der Vater läßt sein Kind die Schwerelosigkeit fühlen

Liebevolles Berühren – wie Eltern es mit ihren Kindern tun – bewirkt, rein physiologisch und endokrinologisch gesehen, ein Freisetzen von Endorphinen: das natürliche Gegenmittel zu körperlichem aber auch zu seelischem Schmerz. Es ist eine instinktive Handlung desjenigen, der für ein geliebtes Wesen nur das Beste will.

Schreit ein Kind, weil es Magenschmerzen hat, aus physiologischen Gründen also, wird das Weinen als Hilferuf verstanden und ein Arzt gerufen. Schreit das Kind jedoch aus Liebesbedürfnis, aus psychischen Gründen, wird dies nicht als Hilferuf verstanden. Es ist jedoch einer, der ebenso, wenn nicht mehr, beachtet werden muß wie ein anderer, denn psychischer Schmerz kann oft schmerzhafter sein als ein körperlicher.

Als Erwachsene haben wir meist nicht nur das Weinen verlernt, sondern auch noch die anderen Möglichkeiten des Hilferufens, etwa wenn wir traurig sind, wenn uns irgendwie unser „Herz" schmerzt, weil wir nicht genug Liebe erhalten oder sie nicht geben können.

Einen psychischen Schmerz auf Dauer hinzunehmen – und erscheint uns die Ursache auch noch so unabänderlich – ist Gewalt gegen unsere Seele. Wenn uns die Schuhe drücken, ziehen wir sie ja auch aus. Es ist für uns einfacher, körperlichen Schmerz zu er-

23

kennen und zu behandeln als unsere psychischen Schmerzen. Hier sind wir allzuleicht bereit, zu ertragen, zu verdrängen. Leiden ist heute normal, und wir *leiden, ohne zu weinen.* Wir selbst und andere erkennen den Schmerz nicht mehr, haben ihn manchmal bis zur Wahrnehmungslosigkeit verdrängt.

Wir wissen, daß unsere Leistungsfähigkeit sinkt, wenn wir traurig sind! Schon allein deshalb sollten wir „Traurigsein" als eine Ausdrucksform von psychischem Schmerz erkennen und behandeln: am Ende steht sonst allzuoft der depressive Mensch, der im Dunkel seiner ungeweinten Tränen, seiner heruntergeschluckten seelischen Schmerzen mehr leidet und dahinvegetiert als lebt.

Massage –
Streicheln und Liebkosen

Wenn Muskeln über einen längeren Zeitraum angespannt und verhärtet oder sogar blockiert sind, führt das zu einer Verengung eines Teils der Blutgefäße; das Blut kann nicht mehr optimal fließen, und der freie Fluß der Lebensenergie wird zum Nachteil des gesamten Körpers eingeschränkt oder zumindest stark behindert.

Massagen sind dann sehr hilfreich, verkrampfte Muskelzonen werden „gelöst" – und unter dem sanften Druck geübter Hände entspannt sich der ganze Körper. Der freier gewordene Blutfluß erzeugt ein Gefühl des Wohlbehagens – das aber leider meist nicht sehr lange anhält.

Schon bald spiegelt sich die Spannung erneut im Körper: die Psyche somatisiert. Die Massage kann nur auf das Symptom (die Muskelverspannung) einwirken, die tiefere Ursache, die durch einen bestimmten psychischen Zustand bedingte „Spannung", kann sie nicht beeinflussen.

Vergleichen wir die Wirkung einer klassischen Massage mit einer einfachen Liebkosung wie einer verständnisvollen Umarmung durch den Partner, Familienmitglieder oder einen „intimen" Freund, wird der Unterschied offensichtlich. Die Wirkung dieser alltäglichen und gefühlvollen Gesten ist weitaus tiefgehender, als die noch so fachmännische Behandlung eines „Masseurs".

Die nachfolgenden Anleitungen zum „Massieren" des Körpers sind deshalb auch keine Anleitungen zu irgendeiner Art von Massage im herkömmlichen Sinn.

Die Übungen konzentrieren sich einfach nur darauf, eine wohltuende und sehr wirkungsvolle Verbindung zwischen Hand und Körper herzustellen. Deshalb sprechen wir auch nicht von einer „Technik", sondern von „verständnisvoller Berührung": wir werden durch unsere Hand oder die eines vielleicht unerfahrenen, aber liebevollen Partners verständnisvoll berührt.

25

Wenn wir auf diese Weise beispielsweise die Fußsohlen massieren, dann nicht, um zu einem bestimmten Organ eine Verbindung herzustellen und darauf einzuwirken, sondern allein deshalb, um eine Empfindung zu *erleben* – etwa wie ein sanfter „Engergiestoß", der von der Fußsohle ausgehend die Magen*gegend* erreicht. Dadurch sensibilisieren wir unseren Körper auf sanfte Weise und bekommen eine intensivere Beziehung zu ihm. Diese angenehme Empfindung löst eine „taktile Hypnose" aus, was nichts anderes bedeutet, als vom spannungsfördernden Denken auf entspannendes Fühlen umzuschalten. Eine halbe Stunde lang nicht zu denken, sondern „nur" zu fühlen erzeugt einen Glückszustand, ein zu oft verloren geglaubtes Gefühl reinen Wohlbefindens.

Ganz einfaches Streicheln bewirkt im Körper hormonale Veränderungen, also Veränderungen im endokrinen System ebenso wie im zentralen Nervensystem. Natürlich ist die Dauer dieser liebevollen Behandlung entscheidend für die anhaltende und tiefergehende hormonale Wirkung.

Wir streicheln gerne: wenn ein kuscheliges, weichbefelltes Wesen auf uns zukommt, strecken wir ganz automatisch unsere Hand aus, um die Wärme und Weichheit zu genießen. Und wenn es eine Katze ist, wird sie bald darauf mit einem wohligen Schnurren antworten und uns zeigen, daß Streicheln genau das ist, was sie haben will.

Vereinfacht bedeutet das für eine Partnerschaft: Solange sich ein „Paar" streichelt, hält seine Liebe an. Wenn es mit dem gegenseitigen Streicheln vorbei ist, geht auch die Liebe zu Ende, aus Ehe oder Partnerschaft wird ein Zusammenleben. Streicheln – wie jede Form von Hautkontakt – ist ein sehr direkter und wirksamer Ausdruck von „Liebe", die körperliche Basis dieses uns so psychisch erscheinenden Phänomens.

Durch ein Akzeptieren der Wechselwirkung von Ursache (Liebe) und Wirkung (Streicheln), wird uns klar, daß wir bewußt auf den Fluß der Energie einwirken können, indem wir auch dann einmal *liebevoll* zueinander sind, wenn wir uns müde, ruhebedürftig und abgespannt fühlen. Dieser willentliche Auslöser setzt viel positive Energie frei: Wenn ich jemanden verständnisvoll streichle, leuchten mich bald seine Augen an – es ist Geben und Nehmen. Und das ist gar nicht wenig.

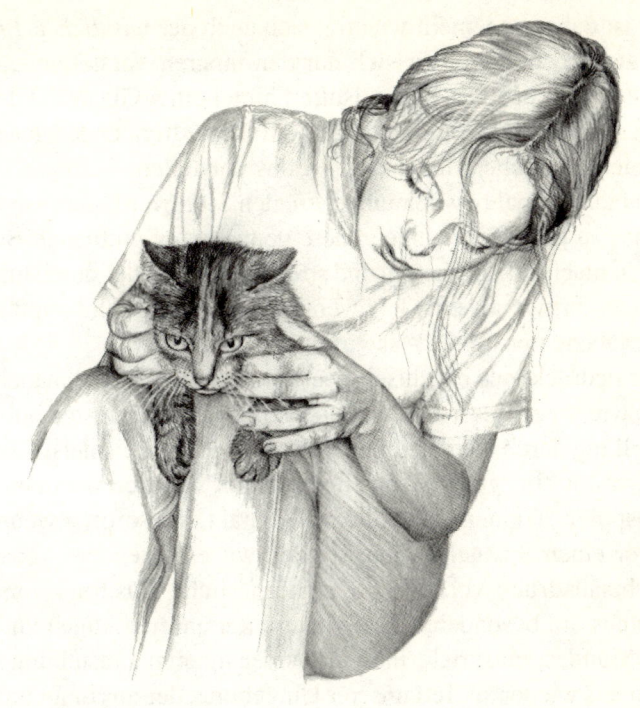

Streicheln löst Wohlbefinden aus: die Katze schnurrt

Wie wir im Verhältnis Mutter/Kind gesehen haben, setzt die Berührung der Wangen Endorphine frei. Der immer lauernde seelische Schmerz wird gelindert, im ganzen Körper breitet sich Wohlgefühl aus. Dieses „intime Behandeln", wie wir es in der frühen Kindheit erlebt haben sollten, bewirkt, daß wir auch im späteren Leben sehr tiefgehende emotionale Erfahrungen machen können, sogar dann, wenn wir uns selbst oder auch nur in der Vorstellung – und das ist sehr wirkungsvoll – streicheln.

Es gibt keinen Grund, dieses liebevolle Miteinander nur auf sich liebende Partner (Mann/Frau, Mutter/Kind ...) zu beschränken. Wir können das liebevolle Berühren bewußt anwenden, bei uns selbst (dies ist im ersten Teil der Übungen unter Selbsthilfe beschrieben) und bei Partnern, zu denen wir ein vertrauensvolles und intimes (mit *intim* meinen wir *menschliche Nähe*) Verhältnis haben.

Es ist dabei ungemein wichtig, sich auch der *wirklichen Erfahrung* zu öffnen, denn wer sich nur den inneren Vorstellungen zuwendet, bleibt seelisch allein, isoliert hinter einer Glaswand der eigenen Ängste und Hemmungen. Doch: diese trennende Mauer ist viel leichter zu überwinden, als wir uns vorstellen.

Einfach einmal bewußt aufstehen, den Stuhl verlassen, um zwei Schritte zu gehen oder eine andere dem Körper guttuende Bewegung zu machen (sich recken und strecken, einmal tief durchatmen), schon das bringt uns ein klein wenig zum Körpergefühl – mit allen beschriebenen positiven Auswirkungen – zurück.

Der bedrückende psychische Zustand löst sich und ist manchmal sogar wie weggeblasen. Es ist ebenso leicht, eine festgefahrene Einstellung durch mentale Impulse zu verändern, beispielsweise indem wir uns ein „gutes" Wort sagen. Damit schaffen wir in uns die Atmosphäre zu einem freundlichen Kontakt, der sofort – wenn wir uns vor einen Speigel stellen, werden wir es erkennen – unseren Gesichtsausdruck verändert. Der körperliche Ausdruck unseres Gesichtes, im besonderen die Synchronität unserer Augen und unseres Mundes, entspricht immer unserer inneren Einstellung. Wir fühlen uns wieder als Teil unserer Umgebung, der uns umgebenden Menschen, und spüren, wieviel spontane Bereitschaft um uns besteht, wie zeitweilig und wie leicht überwindbar die momentane *Verlegenheit* ist, die wir so fürchten.

Einsamkeit wird nicht durch unseren Charakter verursacht und hängt auch nicht vom fehlenden Glück ab, sondern sie ist eine Folge unserer inneren Einstellung, unseres Willens. Es ist eine erlernbare Fähigkeit, die eigene Einstellung anderen gegenüber zu ändern.

Wir können unser körperliches und seelisches Wohlbefinden allein schon über unsere *Vorstellungskraft* verändern. Diesen Zusammenhang hat beispielsweise Professor Johann Heinrich Schultz mit der therapeutischen Anwendung von Hypnose beim Autogenen Training wissenschaftlich nachweisbar gemacht.

Probieren Sie es selbst aus: Halten sie beide Hände mit den Handflächen nach oben. Konzentrieren Sie sich dann einfach auf ihre linke Hand oder stellen Sie sich vor, daß sie warm wird. Sie werden genau das spüren, nämlich daß Ihre linke Hand viel wärmer wird.

Tatsächlich folgt auf die Vorstellung der eigenen „warmen Hand" eine meßbare Erhöhung der betreffenden Hauttemperatur von bis zu 4 °C und eine dementsprechende Entspannung!

Seit der Entdeckung dieser Wechselwirkung ist fast ein Jahrhundert vergangen, heute wissen wir, daß es allein durch das Visualisieren eines Organs zu einem „erhöhten Blutzufluß" in eben diesem Organ kommt. Diesen „Energiefluß" können wir auch als ein Gefühl von „Schwere" wahrnehmen. Für eigene Selbstheilungsprozesse ist dieses Wissen praktisch einsetzbar. Eine Frau, die an einer Eierstockentzündung leidet, kann neben einer allopatischen oder homöopathischen Behandlung durch Visualisierung den Selbstheilungsprozeß fördern.

Im folgenden Kasten wird die wissenschaftliche Auffassung dargelegt, daß wir unsere körpereigene „Pharmakologie" anregen können, soweit wir es wollen, und daß sie in vielen Fällen ebenso wirksam oder wirksamer sein kann als das, was wir uns an industriell gefertigten Produkten, d. h. Medikamenten, mit dem gleichen Zweck zuführen können.

Das pharmakologische Labor in uns

Unser Körper als hochintelligentes Netzwerk – ein wissenschaftlicher Exkurs

Unser Organismus ist ein verfeinertes *pharmakologisches* Labor, das fortwährend eine sehr große Menge an Substanzen produziert, die unter anderem die Funktionen unseres Gehirns und unseres Nervensystems regeln.

Die vom Menschen künstlich hergestellten Produkte (Medikamente usw.), die wir normalerweise verbrauchen, sind nichts anderes als eine unvollständige Imitation der vom Körper hergestellten. Erst jetzt beginnt uns diese Tatsache wieder bewußt zu werden, man denke nur an den Homoöpathie-Trend.

Diese Tatsache legt den Gedanken nahe – so bemerkt der erfahrene Wissenschaftler Prof. Dr. Paolo Pancheri, Dozent der Psychiatrischen Klinik in Rom –, daß, sobald unser Wissen über die natürlichen Mechanismen des Organismus vertieft ist, wir die Art und Weise finden können, jeden Menschen wieder soweit zu befähigen, daß er neu lernt, diese Prozesse im eigenen Körper in Gang zu bringen. Mit anderen Worten: Er kann die Symbolsprache der Krankheit erlernen und über seelisch-geistige Lernprozesse positive Rückkopplungen auf der körperlichen Ebene auslösen.

Der über die hormonelle Veränderung der Endogenen Induktion vorgeschlagene Weg ist ein erster Schritt in diese Richtung.

Den Körper wecken

Um unser Wohlbefinden *unmittelbar* und auf eine praktisch nutzbare Weise zu verbessern, stellt uns unsere Natur verschiedene Möglichkeiten zur Verfügung. Deshalb ist es gar nicht so verkehrt, ab und zu mal einen psychosomatischen „Kunstgriff" anzuwenden. Wenn wir in unseren alltäglichen, leider nicht immer angenehmen Gedanken gefangen sind, können wir uns aus dieser Blockade herausholen und uns „ganz" fühlen, indem wir uns einfach an irgendeiner Stelle kneifen, das heißt: eine körperliche Erfahrung provozieren, die unsere Wahrnehmung verschiebt. Jeder hat das schon einige Male erleben können. Wenn ein ängstlicher oder unter einer Neurose leidender Mensch durch die einseitige Überaktivität seiner Gedanken gequält wird, kann er sich ganz einfach in die Wirklichkeit „zurückzwicken" (beispielsweise in den Arm zwicken) oder ein Glas Wasser trinken. Wenn jemand einen tröstenden Arm um seine Schulter legt, kann das genauso hilfreich wirken, weil dadurch über den Körper der Zugang zu einer anderen, sich angenehmer anfühlenden „Welt" geöffnet wird. Sehr wirkungsvoll ist auch eine halbe Stunde intensiver Gymnastik. Der Weg zurück zur Körperwahrnehmung befreit den Kopf, der nicht wie ein Computer, heute ja Symbol für reine Kopfarbeit, funktionieren sollte. Ausschalten und Neustarten hilft manchmal über viele der Probleme hinweg, an denen man sich *aufgehängt* hat.

Und wenn uns während der Nacht wilde, schmerzhafte Träume verfolgen und wir sehr intensiv schreckliche, unangenehme Situationen durchleben, vor denen wir mit jedem Mittel flüchten möchten, weil sie die Schmerzschwelle rücksichtslos überschreiten, steht uns wieder ein sehr einfaches Gegenmittel zur Verfügung: eine wirklichkeitsgebundene Wahrnehmung schaffen. Wir können den Weg zu der stets weniger schrecklichen Realität finden, indem wir bewußt und tief einatmen oder uns bis zum Aufwachen recken und strecken. Ist der Alptraum überwunden, *dann* können wir den Weg zu einem angenehmen Halbschlaf finden, bis wir wieder in den tiefen Schlaf versinken.

Ein kleiner Junge, dessen noch kleinere Schwester von einem hysterischen Weinkrampf geschüttelt wurde, griff instinktiv nach einem Glas Wasser und schüttete es in ihr Gesicht. Ohne die Ursache zu erkennen, beendete er damit ihre Verzweiflung. Zugegeben, die Therapie ist ziemlich brutal, war aber immerhin wirksam. Sie schafft auch kein Wohlbefinden, sondern erwirkt einen leichter ertragbaren Zustand des Zorns, indem auf eine andere Ebene umgeschaltet wird.

Wer von uns würde es nicht eher vorziehen, mit einem Glas Wasser erweckt zu werden, als die psychisch schmerzvolle Situation eines Alptraumes durchstehen zu müssen?

Es ist offensichtlich: Wenn uns Gedanken quälen, tröstet uns die körperliche Wirklichkeit. Unser Körper ist auch hier unser nächster und bester Freund, den wir immer um Hilfe bitten können, um die Verzweiflung zu lindern.

Es ist mir an dieser Stelle sehr wichtig, darauf hinzuweisen, daß wir zwischen Traum und Wirklichkeit keinen wesentlichen Unterschied sehen (auch Siegmund Freud betrachtet „träumen" als ein Probehandeln).

So sagt Wang, der Poet: *„Wang träumte, ein Schmetterling zu sein, zwischen Blumen und Ästen zu fliegen, sich vom Wind schaukeln zu lassen. Dann wachte er auf und wußte nicht mehr, ob er eigentlich Wang sei, der träumte, ein Schmetterling zu sein, oder ein Schmetterling, der Wang zu sein träumte."*

Ein Traum wie dieser – Ausdruck seelischer Heiterkeit – ist nicht eine Gabe Gottes: Jeder kann auf sein Traumgeschehen positiv einwirken. Trotzdem haben die meisten von uns viel zu selten einen „angenehmen" Traum erlebt. Es ist sozusagen Traumgesetz, daß der Ablauf des Traumes von unserer Grundstimmung oder Einstellung bestimmt wird, auf die wir nicht nur durch unsere Vorstellung einwirken können. Wenn wir beim Träumen – das heißt, wenn unter den unzähligen Gedanken, die die nächtliche Tätigkeit unseres Gehirns aus dem Unterbewußtsein heraus steuern – etwa die Vision *„Haus"* bei **positiver Einstellung** mit „*Garten*" und „*Blumen pflükken*" assoziieren, können mit dem gleichen *„Haus"* andere Assoziationen verbunden werden. Ist die Grund-**Einstellung negativ,** folgen die angstvollen Bilder: wir sehen, daß das *„Haus brennt"* oder das *„davorstehende Auto, das um keinen Preis anspringt, während wir dringend weg müßten".* Niemand zeigt sich, unsere Hilfe-

Wang und der Schmetterling: der Mensch zwischen Vorstellung und Wirklichkeit.

rufe bleiben ungehört. Und *„es beginnt zu regnen, die Erde weicht auf, wir gehen unter …"* Die gleiche Angst, die das Traumgeschehen bestimmt, läßt uns auch am Tage leiden.

Außer der momentanen Einstellung wirkt noch ein weiterer Faktor auf den Ablauf des Traumes ein. Wir haben festgestellt, daß das Traumgeschehen, damit es uns bewußt wird und erinnert werden kann, eine bestimmte Intensität benötigt.

Im ängstlichen Menschen haben *emotionale* Inhalte eine stärkere Wertigkeit, weil Logik und Realismus „schlafen". *Sie* sind es, die die Bewußtseinsdecke durchbrechen – nicht „harmlose" oder beruhigende Gedanken.

Wir sind hier auf das Träumen eingegangen, weil die folgenden Visualisierungen mit den Traumvorstellungen eng verbunden sind.

Wenn es für uns schwierig ist, auf den nächtlich-unterbewußten Gedankenablauf einzuwirken, fällt es uns dafür meist leichter, unsere Vorstellungen am Tage zu kontrollieren.

Die Übungen der Endogenen Induktion gehen gerade darauf zurück, daß wir Vorstellungen mit Wahrnehmungen assoziieren und sie mit einer angemessenen Be*handlung* bestimmter Punkte oder Zonen in unseren Körper verbinden. Darüber hinaus wird die Wirkung der Endogenen Induktion verstärkt, weil wir durch die Übungen auf die für das Wohlbefinden wesentlichen Hormone besonders einwirken.

Beginn des Übungsprogramms

Wir beginnen die Übungen mit einem leichten Lockerungsprogramm für Körper, Geist und Seele, indem wir auf der Stelle laufen, einfache Gymnastik machen und zu rhythmischer Musik, die wir mögen, tanzen. Damit lösen sich die Muskeln: der Herzschlag wird beschleunigt, die Atmung intensiver und der Körper besser durchblutet.

Nachdem wir unseren Übungsraum vorbereitet haben (gedämpftes Licht, abgehängter Telefonhörer, informierte Familienmitglieder/Mitbewohner) kleiden wir uns bewußt an: weiche Baumwoll-, Woll- oder Seidenstoffe, anliegend, aber nicht beengend. Dieses Bekleiden ist zumindest im Sommer oder bei ausreichender Temperatur mehr ein Entkleiden als ein Ankleiden. Dabei legen wir störende Kleidungsstücke mit der Vorstellung ab, uns zugleich von Problemen zu entkleiden, sie abzulegen.

Eine im stillen oder laut gesprochene Affirmation leitet die Übungen ein: „Jetzt widme ich mir selbst Zeit; danach wende ich mich den Problemen des Alltags wieder kraftvoll und energiegeladen zu."

Jetzt können wir beginnen und folgen gleichsam einem Ritus, dem wir unsere gesamte Aufmerksamkeit widmen. Je intensiver wir uns vorbereiten, desto größer sind die Erfolgsaussichten.

Mit den ab Seite 64 beschriebenen „Entspannungsübungen" werden wir viele der damit zugänglichen Muskelgruppen soweit entspannen, daß wir schon dadurch psychisch weit mehr bereit sind, auch tiefer zu gehen.

Dabei ist es unser Ziel, zu einem vollendeten Gleichgewicht zwischen Spannung und Entspannung im Muskelbereich zu kommen.

Bevor wir mit der eigentlichen „Massage" beginnen, bereiten wir uns seelisch vor.

Wir bringen unseren Körper in die „ausgeglichene Stellung", wie sie auf Seite 72 beschrieben ist, und öffnen uns dem Wahrnehmungsfluß zwischen Geist und Körper. Wir fühlen diese Beziehung zwischen Geist und Körper nach den Entspannungsübungen jetzt viel intensiver. Dabei schlägt unser Herz kräftiger, unser Atem ist schneller, intensiver, und wir sind mental offen genug, um uns mit dem *neuen Erleben* unseres körperlichen Zustands zu befassen: Der Körper bleibt dabei passiv, der Verstand beobachtet und nimmt aktiv jede Veränderung wahr.

Die Hände

Nun betrachten wir unsere Hände, öffnen sie dem Fluß der Lebensenergie, die ihnen entströmt, sie werden weich und verständnisvoll, als wollten wir ein Kind streicheln. Natürlich können wir auch ab und zu in liebevoller Weise etwas Kraft einsetzen.

Erst jetzt beginnen wir mit *unserer* "Massage". Dazu bieten sich verschiedene Techniken an.

Das Kneten und Rollen

Wir behandeln die Muskelgruppen (Gesäß-, Genick-, Rücken- und Nackenmuskeln, mit etwas mehr Vorsicht die Unterleibsmuskeln), die – wenigstens in der Tiefe – noch nicht genügend gelöst sind und in denen eine kräftigere Durchblutung notwendig erscheint, mit kräftigem Druck, der bis zur Schmerzgrenze gehen kann: Wenn es anfangs auch vielleicht etwas unangenehm ist – ein Symptom, das uns vermittelt, an der richtigen Stelle zu sein –, folgt bald ein angenehmes Wohlgefühl.

Die Möglichkeiten einer Selbstmassage sind aus physiologischen Gründen natürlich beschränkt – wir können bei uns selbst nicht jede beliebige Stelle erreichen. Wir beachten besonders die Gesäßmuskeln, hier können wir sehr kräftig massieren. Diese Zuwendung gilt, wie bei den Unterleibsmuskeln, besonders für die Frau, deren Körper hier – oft psychisch verursacht – dazu neigt, ein „schützendes" Fettpolster anzusetzen, das mehr Abwehr- als Schutzfunktion hat.

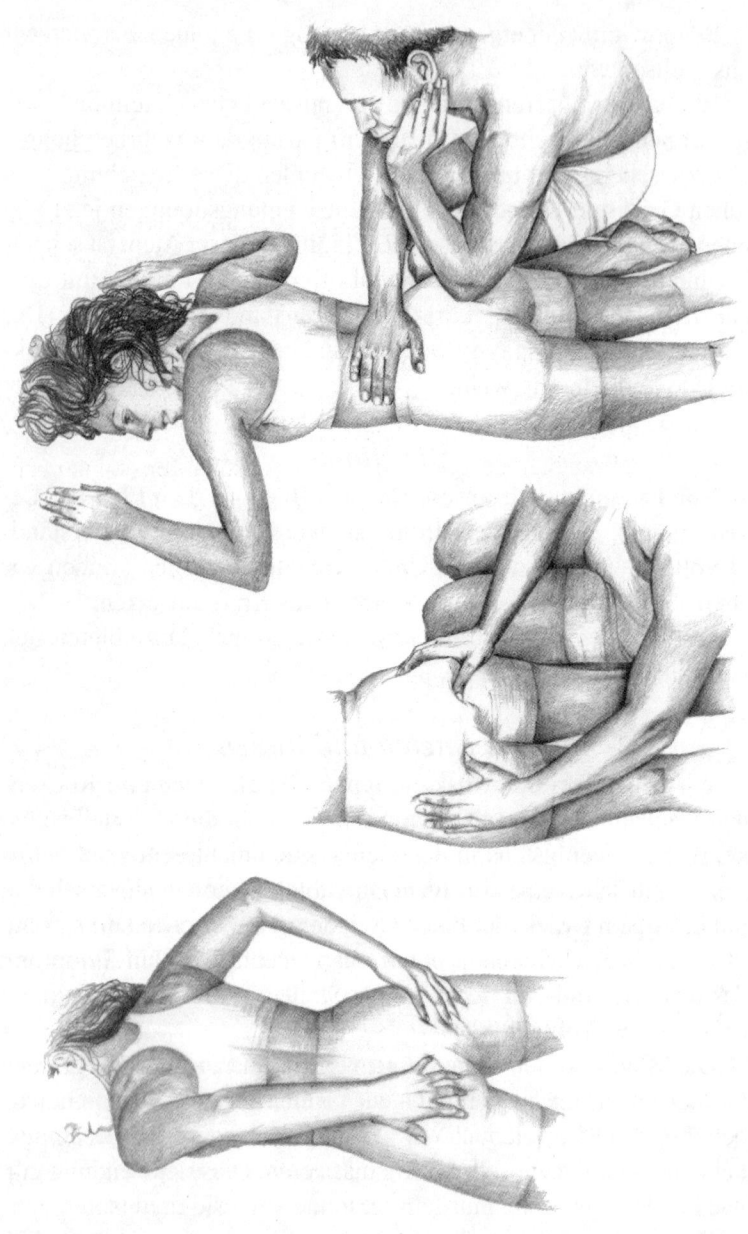

Hände, die eigenen und die des Partners, die durch einen kraftvollen Eingriff die tieferen Muskeln (hier: die Gesäßmuskulatur) lösen.

Wir können das nachvollziehen, wenn wir die Gesäßmuskeln einer lebendigen Sinnlichkeit gleichsetzen, die Unterleibsmuskeln mit in das Umfeld Eierstöcke einbeziehen, die für die Frau fälschlicherweise in einer gewissen psychischen Situation (gestörtes Verhältnis zu allem „Geschlechtlichen") und besonders in einem gewissen Alter (wenn unsinnigerweise das „Geschlechtliche" abgebaut wird) Sinn und Funktion zu verlieren scheinen. Wer auf Sinnlichkeit und sexuellen Austausch verzichten will oder muß, sollte den psychischen und den *vitalen* Wert dieser Organe und der hier ausgeschütteten Hormone nicht vergessen. Denn es ist erwiesen, daß der Körper weniger chronologisch altert als aus einer bewußt oder unbewußt herbeigeführten hormonellen Mangelsituation. Die Frau kann in jeder Hinsicht Frau bleiben, auch nach den Wechseljahren, sogar nach einer Totaloperation, denn die für die Erhaltung der ausgeprägten Weiblichkeit wichtige Östrogenproduktion kann mit den entsprechenden Übungen wieder angeregt und stabilisiert werden. Der Körper kann Östrogen auch ohne die Eierstöcke herstellen.

Besonders die Unterleibsmuskeln sind bei vielen Frauen zu verspannt. Beispielsweise können Angstgefühle Bauchschmerzen auslösen. Die Durchblutung wird dabei blockiert, und das kann unangenehme Folgen wie einen chronisch harten Unterleib haben. Dann ersetzen wir hier das „Kneten" durch den sanfteren und doch wirksamen Kontakt des Handauflegens.

„Kneten" ist eine kraftvolle Massage, ähnlich dem Kneten eines Teiges. Ausschlaggebend für die Kraft, die wir dabei anwenden, bleiben immer die Wahrnehmungen, die von der behandelten Zone ausgehen. Natürlich kann es zu einem kleinen schmerzhaften Aufschrei kommen, den wir aber nicht als ein Signal zum Aufhören interpretieren sollten. Wir müssen uns vorstellen, daß wir teilweise Energieblockaden berühren und das Wieder-in-Fluß-Bringen von Energie teilweise anfangs zuerst als unangenehm empfunden wird. Zum Auflösen dieser Blockaden ist aber ein verständnisvolles, kräftiges Behandeln das Beste, was wir tun können. Nach der ersten Schmerzäußerung können wir innehalten, warten und Raum zur Entspannung geben, um es dann ein zweites Mal zu versuchen. Meistens folgt auf den anfänglichen Schmerz bald ein Gefühl von Wärme durch die stärkere Durchblutung und ein allgemeines Wohlbehagen.

Sehr vorsichtig behandeln wir die Wirbelsäule und die sie umschließenden Muskeln. Hier setzen wir nur unsere Finger ein, mit denen wir sanft über die Haut entlang der Wirbel rollen. Ausschlaggebend ist dabei nicht so sehr technisches Handwerk, das wir mit guten Massagehandbüchern (siehe dazu auch „Literaturtips" auf Seite 140) erweitern können, sondern das richtige Verständnis dessen, was wir tun: Die Hände lernen, die „Sprache" der Muskeln zu verstehen, nehmen ihre Botschaften auf und folgen ihnen.

Damit haben wir einen einfachen, aber intensiven Körperkontakt hergestellt. Wir nehmen ihn auch dann noch wahr, wenn die Behandlung schon beendet ist. Indem wir „vergessene Zonen" unseres Körpers fühlen, ändern wir auch unsere Einstellung ihnen gegenüber.

Das Streicheln –
die verständnisvolle Berührung

Jetzt gehen wir viel intuitiver vor. Wir streicheln die Haut mit einem oder zwei Fingern, verändern den Druck ganz nach Gefühl. Dabei werden wir erstaunt feststellen, daß ein Streicheln, das die Haut kaum berührt, viel effektiver sein kann, als kräftigeres Vorgehen. Grundsätzlich ist es positiv, zwischen beidem abzuwechseln.

Um Auswirkungen des Fingerdruckes festzustellen, können wir, nachdem wir hart knetend eine Muskelgruppe gelöst haben, mit äußerstem Feingefühl über die eben bearbeitete Zone streicheln. Diese Wahrnehmung ist im allgemeinen sehr intensiv und angenehm.

Besonders beachten wir dabei die primären erogenen Zonen, wie Brust und Brustwarze (bei Frau und Mann – die des Mannes ist ebenfalls sehr sensibel) und die Innenseite der Schenkel.

Einer zweiunddreißigjährigen Frau mit zwei Kindern wurde diese Behandlung ihrem noch etwas unreifen Partner gegenüber angeraten. Sie konnte sie jedoch nicht anwenden, weil sie wußte, daß ihr Mann diesem Reiz nicht standhalten würde und daß er sogar aus dem Ehebett fliehen würde. Dies zeigt immerhin, daß die beiden in ihrem körperlichen Verhältnis kein ausreichendes Vertrauensverhältnis besaßen.

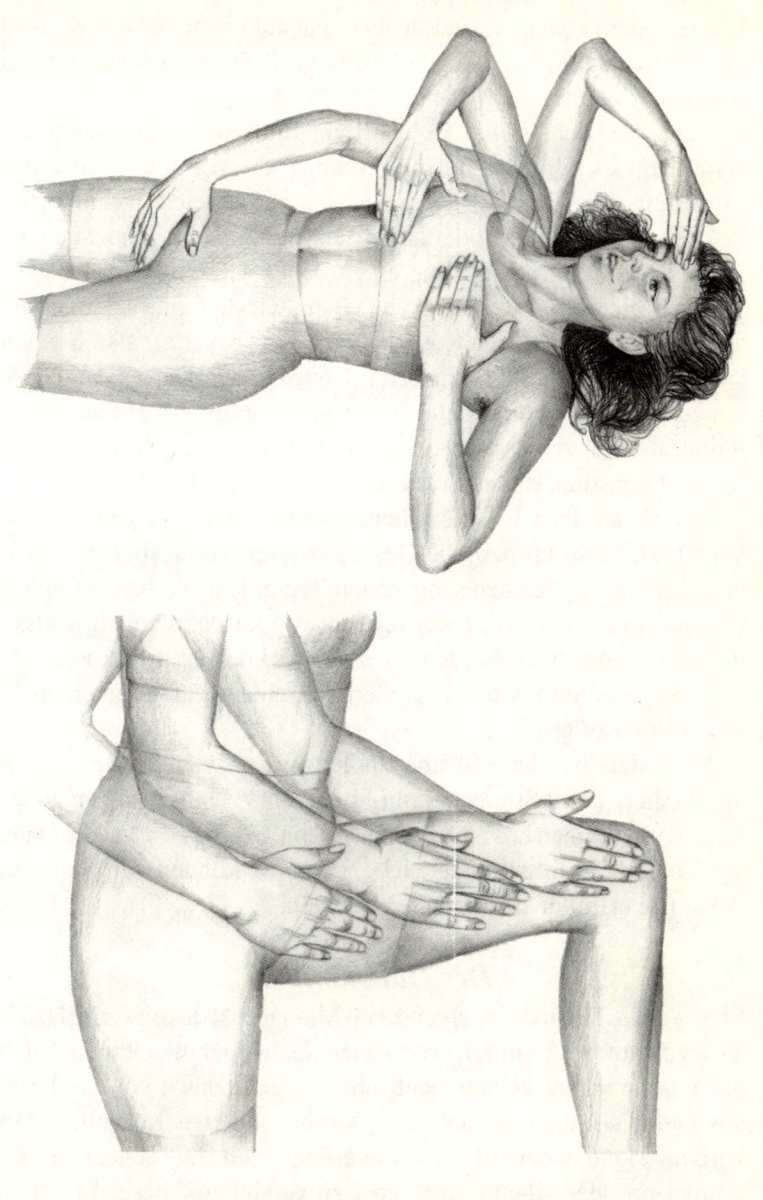

Die streichelnde Hand

Wenn Partner den Körper des anderen noch nicht zur Genüge kennen oder verstehen, sind sie nicht gut auf einen intimen Kontakt vorbereitet. In einem solchen Fall wird auch die Behandlung der intimen Zonen schwierig sein.

Grundsätzlich ist die Behandlung intimer Zonen manchmal schwierig. Es gibt zum Beispiel Männer, die vor einem einfachen Streicheln der Wangen fliehen oder gar aufschreien, wenn sie das Ganze nicht als „blöd" oder „kindisch" abtun. Dann kann auch der sexuelle Kontakt nur auf die eigentlichen Geschlechtszonen beschränkt bleiben, und es kann zu keinem wirklich intimen Energieaustausch kommen, der Körper *und* Geist (Psyche), also Sexualtrieb *und* Gefühl, gleichermaßen mit einschließt. Daß es dann auch nur zu einem rein körperlichen Orgasmus kommt, der auf die Dauer immer unzufriedener macht, ist klar. Ein Geist und Körper umfassender Orgasmus ist dann nicht möglich.

Gerade an diesem Defizit leiden viele Ehen oder gehen daran kaputt. Der rein körperliche Geschlechtsverkehr verliert bald seinen Reiz, auch Versuche mit neuen Techniken bleiben erfolglos. Geschlechtsverkehr wird hier schlichtweg falsch, nämlich wortgetreu, verstanden. Es wird nicht zu einem wirklich intimen Austausch, einer Begegnung kommen, sondern bei einer gemeinsamen erotischen Bewegungsübung bleiben.

Besonders bei der Selbstbehandlung ist es wichtig, wenn nicht unerläßlich, beim Streicheln mit kreativen Visualisierungen zu arbeiten. Wir können uns an Kindheitserlebnisse erinnern, an die Hand der Mutter, an unsere erste Liebe, oder wir können von Visionen zukünftig erfüllter Beziehungen träumen.

Der Handkontakt

Eine weitere Form der energetischen Massage ist das einfache Handauflegen auf bestimmte Körperzonen. Dabei nehmen wir lediglich die Wärme wahr, die dabei entsteht. Sie geht zuerst von der Hand aus und fließt dann in den gesamten behandelten Körperteil. Oft wird die Hand dabei mit der darunterliegenden Haut scheinbar verschmelzen oder scheint im Körper zu versinken. Dieser Eindruck entspricht ganz und gar der tatsächlichen Tiefenwirkung dieser besonderen Behandlung.

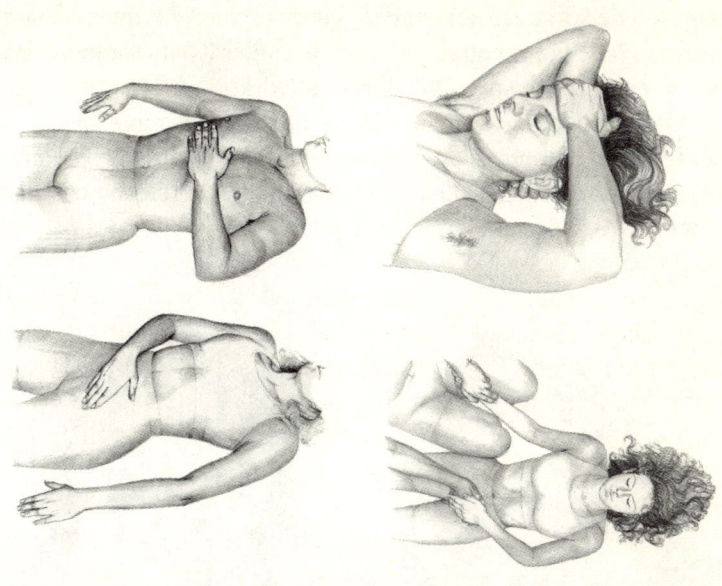

Auflegen der Hand auf wichtige Zonen des Körpers

Es kann auch der Eindruck entstehen, die Hand verschwinde. Wir fühlen sie nicht mehr und nehmen nur noch die Wärme der behandelten Zone wahr. In diesem Fall haben wir den erwünschten Zustand der taktilen Hypnose (durch Berührung) bereits vollkommen erreicht.

Auch hier können wir mit verschieden starkem „Druck" vorgehen und zwischen einer Palette von Möglichkeiten wählen, die von der angenehmsten Art bis hin zur wirkungsvollsten reichen, wobei das eine das andere nicht ausschließt. Wenn jemand sehr sensibel ist, kann es am wirkungsvollsten sein, wenn die Hand die Haut kaum berührt, wenn also fast nur noch die energetische Ausstrahlung wahrgenommen werden kann.

Natürlich tritt diese Wirkung nicht unmittelbar ein, es braucht einige Zeit und die entsprechende Konzentration. Unsere gesamte Aufmerksamkeit sollte auf diesen Punkt oder diese Zone beschränkt sein. Wenn ablenkende „Gedanken" aufkommen, halten wir uns daran nicht fest, sondern lassen sie einfach los. Wir bitten darum, daß sie wieder gehen sollen, daß wir uns später mit ihnen befassen werden. Jede Form von Ärger oder bewußter Kontrolle müssen wir loslassen, weil sie spannungsfördernd wirkt.

Alternativ können wir die Hand auch kelchförmig halten und sollten dies besonders an zwei Stellen tun: Wenn wir sie auf der Brust auflegen oder sie über unser Ohr halten, erreichen wir damit einen „Muscheleffekt".

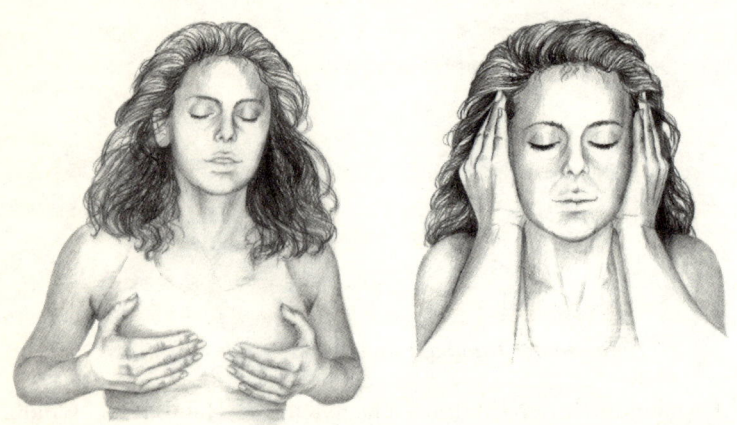

Die zur Muschel geformte Hand auf der Brust und auf dem Ohr

Keine der bislang beschriebenen Techniken sollte als Dogma betrachtet werden. Wir wollen unsere Aufmerksamkeit einzig und allein dem Kontakt Körper-Hand widmen, den Körper sensibilisieren, um dann, und das ist das wichtigste, die eigene Kreativität zu fördern und neue, individuell wirkungsvolle Behandlungen zu finden. *Jeder* Körper hat seine ganz individuellen Ansprüche – die Menschen sind darin sehr verschieden. Es ist manchmal hilfreich, unsere Erfahrungen aufzuschreiben. Wir können anhand dieses „Logbuches" unserer sinnlichen Wahrnehmung Veränderungen bewußter nachvollziehen, die Behandlungen verändern und viel Neues lernen.

Schließlich noch ein paar Worte zum Traum des Wang. Auch im Zustand einer taktilen Hypnose, in die wir uns durch die Konzen-

tration auf den Körper versetzt haben, können wir unserer Traum-
und Vorstellungswelt freien Lauf lassen und viel Angenehmes
erleben.

Diese Trancereisen verbrauchen viel weniger Energie als zielge-
richtetes Denken und sind somit entsprechend entspannend. Zwischen der Wirklichkeit und der Traumwirklichkeit besteht in diesem zeitweiligen Trancezustand kaum ein Unterschied.

Wie lange sollten diese Übungen dauern? Manchmal genügen
einige Minuten. Wir machen eine Übung, die wir wenigstens einmal versucht haben, nur kurz ein weiteres Mal, oder wenn es die
Zeit erlaubt, widmen wir unserem Wohlbefinden auch bis zu einer
halben Stunde.

Nach der Behandlung ist es sehr angenehm, in einen leichten
Schlaf zu fallen. Wir müssen ja nicht „immer" aktiv etwas leisten,
es ist ebenso nützlich, unseren Körper auf die Leistung vorzubereiten.

Der Finger- und Daumendruck

Die nachfolgende Beschreibung ist sehr hilfreich, wenn Sie bisher wenig Erfahrung mit Körperarbeit haben, und bietet sich als
Selbsthilfe an, um wieder zum Körperbewußtsein zurückzufinden,
unsere Leiblichkeit wieder voller zu erleben.

Sehr intensive Wahrnehmungen entstehen, wenn wir statt der
Hand nur einen oder zwei Finger verwenden und mit ihnen auf den
„gewissen" Punkt drücken. Wir sollten dabei beachten, daß es etwas schwieriger ist, mit den Fingern als mit der ganzen Hand die
richtigen Punkte wie den Solar-Plexus- oder den Eierstockpunkt zu
finden.

Aber wir können uns anfangs leicht helfen: Wir legen die ganze
Hand auf die betreffende Zone, bis sich der Solar-Plexus-Punkt durch
Wärmeausstrahlung von selbst „meldet". Dann kennen wir seine
Position und können ihn später direkt ansteuern. Die Wirkung des
Fingerdrucks ist gewöhnlich stärker. Machmal entsteht sogar das
Gefühl, daß der Finger in uns „eindringt", in die Tiefe geht. Andere
Punkte sind leichter zu erreichen. In der Abbildung auf der folgen-
den Seite sind die wichtigsten dargestellt:

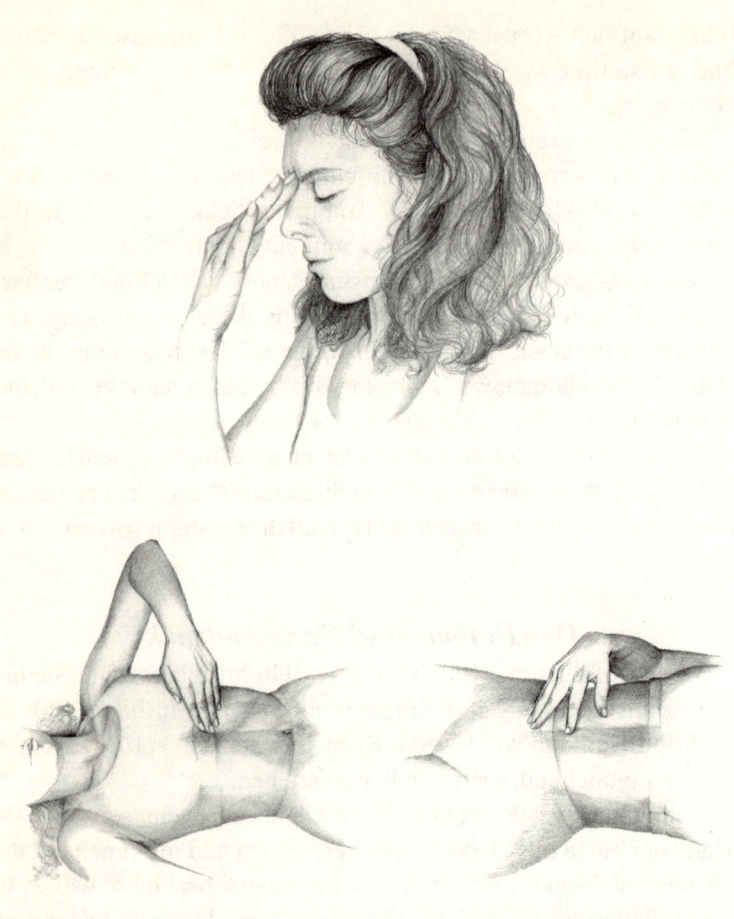

Stellen, an denen wir starken oder sanften Fingerdruck ausüben können:
die Nasenwurzel (Stirnchakra), der Nabel, der Solarplexus.

Wir verstärken den bewußt wahrnehmbaren körperlichen Austausch zu „unserer Verstandesebene", indem wir mit dem Finger
auf die Nasenwurzel drücken. Der Druck sollte zunächst sehr stark
sein und dann leicht ausklingen. Auf der Haut kann es zu Rötungen
kommen. Normalerweise ist die Wahrnehmung auch noch Minuten
später intensiv zu spüren.

Die Lage der auslösenden Punkte und Zonen

Trigger-Punkte und Trigger-Zonen

Wenn Sie die erleichternde und entspannende Wirkung einer Akupunktur-Behandlung schon einmal erlebt haben, wissen Sie, wovon ich spreche. Wissenschaftlich ist es erwiesen, daß Entspannung erreicht wird, indem der Körper an diesen spezifischen Stellen *Endorphine* freisetzt, die diese Wirkung herbeiführen. Endorphin ist dabei der Gegenspieler des spannungsfördernden Adrenalins.

Durch die Behandlung wird die umliegende Zone von der Spannung, der Blockade befreit, und im *ganzen* Körper kann Wohlbefinden wahrgenommen werden. Auch J. H. Schultz beschreibt in seinem „Autogenen Training", daß sogar die Entspannung einer Teilzone wie der „schwere Arm" oder „die warme Hand" eine übergreifende Wirkung erzielt, die sich ebenso über den ganzen Körper ausbreitet.

In den Abbildungen auf der folgenden Seite sehen wir die Verteilung der von uns behandelten auslösenden Zonen und Punkte; sie sind auch dem „anatomischen Laien" zugänglich. Es handelt sich um Schlüsselstellungen in unserem Körper, die durch einfache Berührung Entspannung auslösen.

Was ist nun ein *„Auslösender Punkt (Trigger-Punkt)"* und eine *„Auslösende Zone (Trigger-Zone)"?* Mit dem Wort „trigger" bezeichnet man in der englischen Sprache einen Auslöser, das heißt einen Mechanismus, der – einmal betätigt – eine Wirkung verursacht. Wenn ich den Auslöser eines Alarms drücke, geht die Sirene los. In der Medizin weist dieser Ausdruck auf einen Punkt (oder eine Zone) hin, der einen entfernteren Prozeß auslöst. Wenn ich an einem bestimmten Punkt ein Analgetikum einspritze, führt das an der entsprechenden fernen oder nicht gut zugänglichen Stelle zu einer Schmerzlinderung.

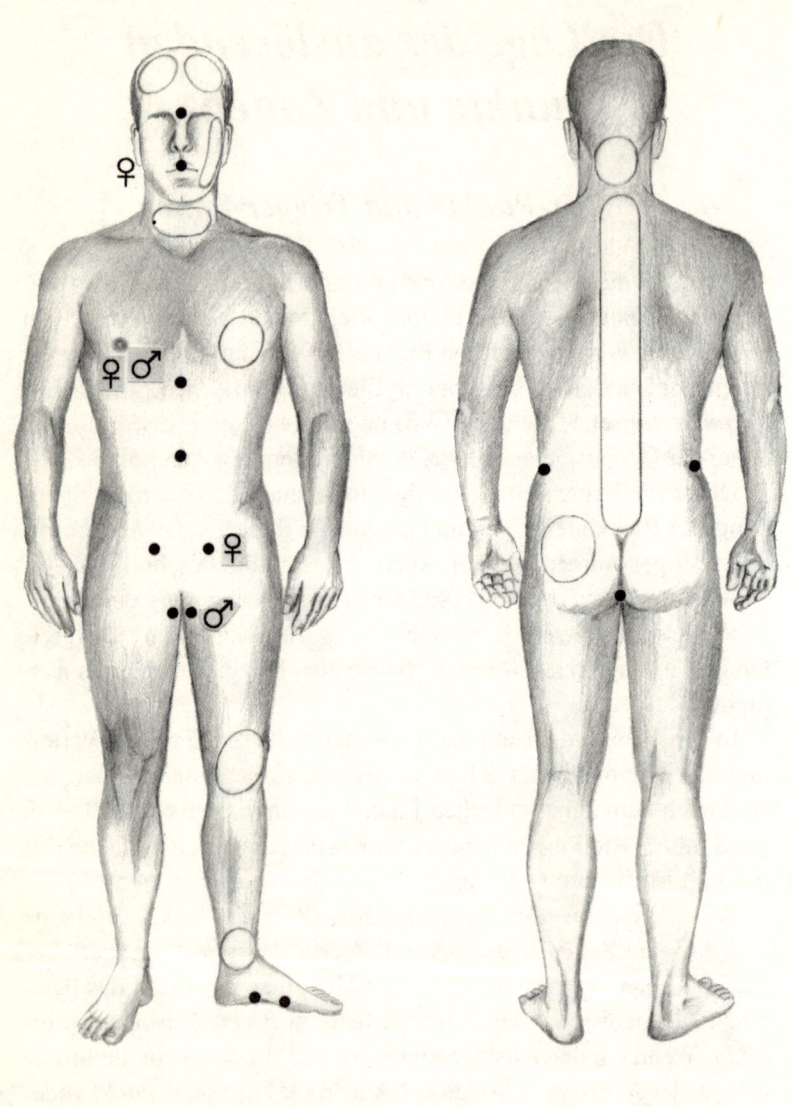

Der menschliche Körper mit den wichtigsten auslösenden Punkten und Zonen, soweit sie für die Endogene Induktion von Bedeutung sind

Wenn wir die von uns angezeigten Punkte berühren, wird das Hormon freigesetzt, zu dem eine Verbindung besteht. Wenn ich die Hand auf die Haut oberhalb der Eierstöcke lege und sie durch Konzentration sensibilisiere, geschieht das „Wunder". Probieren Sie es aus, Sie werden die Eierstöcke spüren und fühlen, wie sie „wärmer" werden.

Zu der von der Hand ausgehenden Wärme kommt eine endogene, von innen entwickelte Wärme. In diesem Moment wird schon das Östrogen freigesetzt, und alle entsprechenden Wirkungen zeigen sich. Dabei werden bestimmte Hormone selbst zu „Trigger-Hormonen". So wird die Vagina feucht, die Schamlippen schwellen an, manchmal werden die Wangen rot: das alles geschieht ohne den Umweg über eine erotisierende Situation.

Wenn ich meine Hand auf die Magengegend lege, dort, wo sich der „Solar Plexus" befindet, wirke ich darauf ein und kann das „Sonnengeflecht" fühlen. Es gibt sich zu erkennen, wird erst leicht warm und dann stärker. Der Behandelte hat das Gefühl, „dort" ein „warmes Ei" zu spüren. Das Sonnengeflecht ist übrigens der bedeutendste auslösende Punkt, der zum Freisetzen von Endorphinen führt. Wir fühlen zunächst auch in der umliegenden Zone eine wohlige Wärme, etwa als ob wir einen warmen Tee getrunken hätten. Und jetzt können wir den Finger direkt auf den richtigen Punkt setzen und unseren Trance-Reisen in die Welt der Erinnerungen oder Visionen des Zukünftigen freien Lauf lassen. Es war nämlich der Solar-Plexus, der uns so „geschmerzt" hatte, als wir plötzlich unsere große Liebe gesehen haben. Entsprechende Vorstellungen können die Behandlung begleiten. Der Solar-Plexus schmerzt bei allen intensiven Gefühlen, bei panischer Angst ebenso wie bei Lampenfieber oder der Aufregung des Verliebtseins. Der empfindsame Mensch nimmt hier seine Gefühle wahr.

Trigger-Punkte finden wir auch entlang unserer Wirbelsäule. Besonders angenehme Gefühle und Entspannung löst die Behandlung der Nackenzone aus. Wenn unsere Wangen gestreichelt werden, passiert etwas anderes, als wenn wir versuchen, über die Fußsohlen Empfindungen im Körper hervorzurufen.

Es sind weder übersinnliche Kräfte noch besondere Kenntnisse und Erfahrungen notwendig; wir müssen einfach nur sensibel wer-

Die Haut als Kontaktorgan

Zwei der vielen Funktionen unserer Haut sind besonders interessant. Sie ist das Organ, über das wir zugleich unsere Abgrenzung und unseren Kontakt definieren. Mit der Haut hört das Ich auf, und es beginnt die uns umgebende Welt, das Du und die anderen. Mit etwa zwei Quadratmetern Fläche ist sie aber unser bedeutendstes Kontaktorgan. Jeder Reiz an jeder Stelle wird nach innen, auf ein bestimmtes Bezugsorgan weitergeleitet. Dies geschieht durch einen unmittelbaren Wechsel des elektrischen Hautwiderstandes, der heute experimentell meßbar ist, aber schon von C. G. Jung mit seinen „Assoziations-Experimenten" erprobt wurde.

Der verbale Ausdruck von „Ich liebe dich" verursacht eine psychische Wahrnehmung, die unglaublich schwächer ist, als jene, die wir mit Liebkosen, Streicheln oder einer Umarmung, was eigentlich den drei Worten gleichbedeutend ist, ausdrücken können.

Wenn die Haut der äußere Ausdruck tiefer liegender psychischer Schichten ist, finden wir über sie den Weg zu schwer zugänglichen Tiefenzonen.

Ein offensichtliches Beispiel ist das „Rotwerden". Jemand wird rot, weil sich in seinem Unterbewußtsein Gedankenvorgänge abspielen, derer er sich schämt. Die Haut verrät uns; sie sagt immer die Wahrheit über das, was in unserer Psyche vorgeht. Dies wird auch während der Pubertät sichtbar, in der die Haut den sich verändernden psychischen Zustand spiegelt.

In diesem Sinn ist die gesamte Haut nichts anderes als eine auslösende Zone. Wichtig aber ist die *Art und Weise,* in der sie berührt wird, sei es in einer Umarmung, aber auch im Berühren einer bestimmten schmerzenden Stelle.

den – auch wenn wir dazu etwas Übung brauchen. Wichtig ist immer, daß wir unsere Hand so gestalten, als wollten wir ein Kind streicheln, daß wir unsere Haut so sensibilisieren, daß sie zu einem reinen Kontaktorgan wird. Unsere Haut ist nämlich unser größtes Kontaktorgan und als solches eine einzige große auslösende Zone – richtig gestreichelt – wo auch immer – fühlen und sehen wir die Reaktion (siehe Kasten auf Seite 48)! Die enormen Möglichkeiten dieser Sensibilisierung kennen wir von Blinden, die mit der Haut und mit Hilfe ihrer taktilen Zellen gleichsam „sehen" können.

Einführung in die „Endogene Induktion"

Das Wiederherstellen der hormonalen Harmonie

Die Endogene Induktion schließt eine Reihe von Übungsfolgen ein, um 1. von Spannung auf die Entspannung umzuschalten, 2. den Kontakt zwischen Geist und Körper in Balance bringen und 3. die hormonale Harmonie wiederherzustellen.

Ein Großteil der psychosomatisch bedingten Störungen, die unser Wohlbefinden einschränken, ist auf den übergroßen und einseitigen Einsatz unseres Intellekts zurückzuführen. Und meistens fällt es uns leichter, schwierige logistische Probleme zu lösen, als mit unseren Gefühlen richtig umzugehen, sie zu spüren und direkt auszudrücken.

Vielfach sind Gefühle von Tabuzonen umgeben und mit Angst besetzt. Die meisten neueren Therapien wenden sich deshalb nicht an den Intellekt, sondern versuchen den Zugang zum Verständnis und zur Veränderung des Menschen über das Gefühlsleben zu finden. Heute haben psychische Probleme, besonders die neurotischen Störungen, ihre Ursache weniger im Kopf, als vielmehr im „Herzen", dem zu wenig Raum zugestanden wird.

Eine Aufgabe, die sich die Endogene Induktion stellt, ist das Wiederherstellen der hormonalen Harmonie. In einer Störung des hormonalen Gleichgewichts, wie sie heute gang und gäbe ist, sah schon vor fast 2.000 Jahren Claudio Galenus die Ursache der Krankheiten. Die Grundsätze dieses großen Arztes gelten zum Teil heute noch und haben die Medizin bis ins späte 18. Jahrhundert bestimmt. Der Großteil der verschiedenen Formen von Neurosen hat seine Ursache in einer Überbeanspruchung unserer „höchsten Funktion", des Denkens, des Intellekts. Denken ist natürlich die hauptsächliche Arbeit unseres Gehirns. Wir verbrauchen beim Denken Unmengen von Energie, ganz gleich, ob es sich um uns bewußte oder uns nicht bewußte Gedankenabläufe handelt.

Es gibt viele Menschen, die in bestimmten Augenblicken meinen, gar nicht zu denken. Dabei arbeitet ihr Gehirn unbewußt und verbraucht dementsprechend viel Energie. Dies geschieht besonders dann, wenn das bewußte Auseinandersetzen mit Problembereichen vermieden wird und alles negativ Empfundene ins Unterbewußtsein verdrängt wird – bis es voll ist, wie ein bis zum Rand gefülltes Faß, das am Ende seiner Aufnahmefähigkeit angekommen ist und beim kleinsten zusätzlichen Tropfen überzulaufen droht beziehungsweise überläuft. Jede von uns als negativ bewertete Problematik, die wir durch Verdrängen aus der Welt zu schaffen versuchen, macht uns aus dem Unterbewußtsein heraus meist „weitaus mehr zu schaffen". Müdigkeit am Abend, ohne daß wir eigentlich etwas besonderes getan haben, ist ein ganz typisches Beispiel für diese unterbewußte gedankliche Anstrengung, die viel der zur Verfügung stehenden Energie verbraucht.

Die Ursache von Verspannung ist physiologisch verankert. Damit wir optimal denken können, muß unser Gehirn gut durchblutet sein, um so den notwendigen Energiebedarf zu decken. Diesen erhöhten Blutzufluß zum „Kopf" erreichen wir ganz einfach, indem wir die Muskeln anspannen. Diese Anspannung der Muskeln im Körper vermindert das Volumen der Blutgefäße und erhöht den Blutdruck. Das gefäßverengende Adrenalin hat dieselbe Wirkung.

Sehen wir uns zum Vergleich an, was etwa bei sexueller Erregung passiert: Das Blut fließt verstärkt in die Genitalien, und wir können deshalb nicht mehr so gut denken.

Jeder von uns hat ab und zu den Wunsch, das Denken, besonders wenn die Gedanken unangenehm sind, einfach abzuschalten. Wenn wir den ganzen Tag lang viel Kopfarbeit geleistet haben, wäre es am Abend absolut wohltuend und auch gesund, unsere Gedanken einmal loszulassen. Das Blut könnte dann frei zu den anderen Organen (Herz, Leber, Magen, Nieren und so weiter) fließen, die alle recht viel zu tun haben, um die am Tage angesammelten Gift- und Schlackstoffe zu verarbeiten.

Es ist bemerkenswert, wie wenige Menschen wirklich imstande

sind, bewußt einmal das Rad der Gedanken abzuschalten, um beispielsweise in aller Ruhe das Essen zu genießen, einen ungestörten Gefühlsaustausch zu haben, eben Mensch und nicht Intellekt zu sein. Wer von uns kann ganz einfach in der Natur sitzen, den Sonnenuntergang genießen, dem Wind lauschen, ohne von dem störenden Wiederkauen der Gedanken abgelenkt zu werden? Wer von uns muß, um sich zu beruhigen, zu einem (schädlichen!) Glas Alkohol greifen oder zu einem bequemen und vermeintlich helfenden Psychopharmaka?

Die zu intensive und oft viel zu unnütze Gedankentätigkeit verfolgt uns auch in der Nacht, in der wir eigentlich ungestört schlafen möchten, um Erholung zu finden. Diese Spannung zeigt sich genauso im Traumleben. Der gesunde Traum hat die Aufgabe, die am Tage aufgebauten Spannungsfelder im Gehirn auszugleichen. Wir erinnern uns an einen Trauminhalt aber nur dann, wenn seine Stärke über die Schwelle unserer Erinnerung hinausreicht. Viel zu oft fühlen wir uns „nur" unausgeruht, aber geistig niedergeschlagener als vor dem Einschlafen; in diesem Fall hat sich zwar der Körper organisch regeneriert, nicht aber das Gehirn. Der „Denker" braucht eben mehr als die für den Organismus ausreichenden 6 bis 7 Stunden; das Gehirn sollte, um leistungsfähig zu bleiben, 8 bis 9 Stunden ausruhen!

Jemand, der „nervös ist", ist nichts anders als ein Mensch mit einem überaktiven Gedankenleben. Wir können uns vorstellen, was mit unserem Herzen passieren würde, wenn wir es in der gleichen Weise wie das Gehirn überbeanspruchten. Der nervöse Typ nimmt sich nicht mehr die Zeit, die anfallenden Probleme nacheinander zu verarbeiten. So werden kleine Probleme zu Problematiken, die dann überhaupt nicht mehr verarbeitet werden können, weil der Zugang zu ihnen blockiert ist. Es entsteht ein energetischer Stau.

Es gibt unterschiedliche Wege, aus dieser Situation wieder herauszukommen. Wir können unsere Sensibilität in bezug auf die Wahrnehmung von Problemen soweit senken, bis wir hart und unempfindlich geworden sind, oder wir verdrängen Probleme einfach aus dem Erinnerungsspeicher, auf den wir bewußt zurückgreifen können. Aber das auch nur, solange dort noch „Platz" ist. Je jünger man ist, desto einfacher geht das. Mit zunehmendem Alter beginnt die

Datenfülle dann allmählich überzulaufen. Mit der Zeit kann das Gedächtnis so überladen sein, daß es seine Funktion nicht mehr voll erfüllen kann. Aus dem Gedankenspeicher tauchen dann – oft gegen unseren Willen – Gedanken auf, die Konzentrationsfähigkeit nimmt ab, wir können nichts mehr richtig genießen und haben schließlich sogar vergessen, was Freude ist. Das Leben wird sinnlos. Psyche und Körper spielen nicht mehr mit und werden „krank".

Ein altes Sprichwort sagt in etwa: Glücklich ist nur der einfältige Mensch, der wenig denkt oder nicht imstande ist, sich Probleme zu machen. Man trifft immer wieder Menschen, die man um die Gnade dieses Glücks beneidet. Sie sind wenig anfällig für „nervöse" Krankheiten, weil sie nur wenige Probleme haben und ihre freie Kapazität dafür einsetzen können, das konkret Anfallende auf einfache und direkte Art und Weise zu bewältigen.

Wenn der „nervöse Typ" zum Opfer seiner hyperaktiven Gedanken wird, geschieht dies entweder bewußt, weil es Teil seiner Sozialisation ist, alles zu hinterfragen und über alles Kontrolle auszuüben, oder unbewußt, weil die Gedanken einfach in ihn hineinströmen, ohne daß er Einhalt gebieten kann.

Das Gleichgewicht zwischen Geist und Körper gerät aus der Balance. Je mehr ein Mensch sich in einem ausgewogenen Geist-Körper-Gleichgewicht befindet, desto weniger neurotisch ist er auch.

Eine angenehme Entspannung zu erreichen ist deswegen die erste Aufgabe der Endogenen Induktion, die zweite ist es, den Kontakt Körper-Geist wiederherzustellen und so vom Denken auf das Fühlen umzuschalten. Die dritte Aufgabe der Endogenen Induktion, das hormonale Gleichgewicht, stellt sich dann von ganz allein ein.

Wir wissen, daß rein körperliche Aktivitäten wie beispielsweise Jogging, also Laufen bis an die Grenze der eigenen Leistungsfähigkeit, die Denkkapazität einschränkt. Das Blut wird vom Kopf in die Muskeln abgezogen und der Gedankenfuß wird ruhiger. Der Rhythmus des Laufens – wie alle rhythmischen Bewegungen – setzt Endorphine frei. Das ist auch der Grund, weshalb man vom „Laufen" abhängig werden kann. Das körpereigene morphinähnliche Endorphin wird von einem Hochgefühl begleitet, nach dem man süchtig werden kann. Ist man dann für eine gewisse Zeit am Joggen gehindert, kann es sogar zu Entzugserscheinungen kommen.

Die Endogene Induktion geht anders vor. Sie erreicht ein stärkeres Körpergefühl und ein Umschalten vom Denken zum Fühlen, durch das „aktivieren" verschiedener Körperzonen und dadurch, daß sie starke, vom Körper kommende Wahrnehmungen erzeugt, die den ungewollten Gedankenablauf zeitweise unterbrechen.

In der Endogenen Induktion geschieht etwas Ähnliches wie in der „Taktilen Hypnose": Indem wir uns mit körperlichen Wahrnehmungen sättigen, stellt sich beinahe unsere gesamte Gedankentätigkeit ein.

Wenn wir auf die richtige Art und Weise einen speziellen Punkt des Körpers berühren, erzeugen wir dadurch eine entsprechend starke Wahrnehmung. Und – das ist der nächste Schritt – wenn wir über diesen Punkt oder diese Zone auf eine Drüse einwirken können, erreichen wir, daß ein oder mehrere entsprechende Hormone freigesetzt werden. Wir haben das Beispiel „Handkontakt oberhalb der Eierstöcke" erwähnt: die Hauttemperatur steigt entsprechend dem größeren Zufluß an Blut und generell an „Energie". Die Wahrnehmung konzentriert sich darauf: Östrogen wird freigesetzt. Ich bin sicher, daß diese Veränderung auch meßbar ist. In jedem Fall zeigen sich sehr bald die entsprechenden Auswirkungen wie Wangenröte, Kontaktbedürfnis und Extroversion. Ich habe oft erlebt, daß der Fingerdruck auf das Sonnengeflecht wie ein wohltuendes „Eindringen eines warmen Gegenstandes" empfunden wird, der Spannung löst. Ebenso wirksam ist der Druck auf das Steißbein: „Als ob ein warmer Strahl die Wirbelsäule entlang nach oben strömen würde". Die Spannung wird dabei immer gelöst. Im besten Fall spüren wir die gesamte Wirbelsäule ganz deutlich. Ein angenehmer Nebeneffekt zeigt sich danach in einer aufrechteren Haltung.

Die drei verschiedenen Arten der Behandlung

Für unser persönliches Wohlbefinden ist die Qualität unserer „Beziehungen" sehr wichtig. Wir unterscheiden dabei drei Ebenen von Beziehungen:

1. Die Beziehung zu uns selbst

Dabei unterschieden wir drei Schichten innerhalb unserer eigenen Persönlichkeit: Gedanken, Gefühle sowie Triebe und ihren harmonischen Ausdruck. Jede dieser Ebenen soll frei erlebt und ausgelebt werden. Solange es keine Konflikte zwischen Denken, Fühlen und Handeln gibt, lebt man aus seiner Mitte heraus. Diesem Aspekt widmen wir die Übungen für Einzelpersonen.

2. Die zwischenmenschlichen Beziehungen

Die *Intimsphäre* im weitesten Sinne, die sich zwischen uns und einem anderen Menschen entwickelt. Dabei kann es sich um einen Liebespartner, um Mutter, Vater oder auch um einen Freund handeln, mit dem uns eine platonische Beziehung verbindet.

3. Die Beziehungen zu unserem sozialen Umfeld

Hier geht es um die Beziehungen zu Menschen, zu denen kein intimerer Kontakt besteht. Auch diese Beziehungen, im beruflichen und gesellschaftlichen Bereich sind Verbindungen, die unser Wohlbefinden beeinflussen.

Die Psyche von Hemmungen und Blockaden befreien

Übungen, die man allein machen kann

Wenn wir uns frei fühlen, mehr einem Gefühl des Wollens als des Müssens folgen und uns selbst angemessen Ausdruck verleihen können, ist das ein Zeichen, daß es in uns keine störenden Hemmungen gibt. Hemmungen entstehen, wenn ein dauerhafter Konflikt zwischen der uns selbst kontrollierenden Instanz (eine moralisch-ethische, antrainierte oder anerzogene Struktur) und unseren natürlichen Kräften beziehungsweise Trieben besteht. Wichtig für unser authentisches Lebensgefühl ist auch der freie Ausdruck unserer Gefühle, also die intime Gestaltung unseres Lebens.

Unsere Übungen zielen darauf ab, ein von Vorurteilen freies Verhältnis zu unserem Körper zu erreichen. Dazu gehört es, alle Körperteile mit einzubeziehen. Das sagt sich leicht – aber es gibt nur ganz wenige Menschen, die wirklich zu jedem Teil ihren Körpers eine gleichermaßen offene Beziehung haben.

Der Weg des vollkommenen Annehmens unseres Körpers läuft über das Herz. Wenn wir auf unser Herz als dem symbolischen Sitz der Gefühle „hören", lösen sich die Hemmungen im Gefühlsausdruck. Dann sind wir bereit, auch die Sexualzonen als gleichwertige Organe anzuerkennen und die volle Wahrnehmung aller Empfindungen in diesem Bereich zuzulassen und somit unsere Triebe von noch bestehenden Tabus zu befreien. Mit Trieb ist hier gemeint, etwas ganz Normales zuzulassen – ebenso wie wir uns erlauben, von unserem Magen Empfindungen aufzunehmen, die Hunger signalisieren – ein ganz normales Bedürfnis, das befriedigt werden möchte, weil es lebensnotwendig ist. Nicht alle körperlichen Bedürfnisse sind lebensnotwendig, aber sie können die Lebensqualität wesentlich erhöhen.

Die nachfolgenden Einzelübungen sind so aufeinander abgestimmt, daß wir die am häufigsten vergessenen Körperzonen wieder in ihrer Ganzheit verstehen – besser gesagt fühlen – und den Körper in seiner Gesamtheit annehmen können. Die Übungen sollen helfen, jegliche Extreme einer intellektuellen, gefühlsbestimmten oder einseitig triebbestimmten Überbetonung loszulassen und damit helfen, das harmonische Zusammenspiel der Hormone wieder in ein vollendetes Gleichgewicht zu bringen.

Den Kontakt zwischen dem „Ich" und dem „Du" vertiefen

Übungen für Partner und Freunde

Die zweite Übungsreihe ist so gestaltet, daß man sie zu zweit ausführen kann. Mit dem Partner oder einem intimen Freund oder Freundin, eben mit uns nahestehenden Menschen, können wir diese Übungsfolge „durcharbeiten".

Wenn einmal die ersten Schritte zum guten Körper-Geist-Kontakt gegangen sind, verfügen wir schon über eine viel intensivere innere Harmonie. Oft verändern sich schon allein dadurch unsere zwischenmenschlichen Beziehungen. Wir können unsere Partnerschaften schon weitaus stärker so gestalten, wie es für ein Zusammenleben angenehmer ist. Unser Lebensgefühl und damit Lebensglück erhöhen sich, indem Denken, Fühlen und Handeln in einem harmonischeren Einklang miteinander stehen.

Worte, die unsere Liebe und unser Verständnis füreinander ausdrücken, sollten uns zu einem tieferen Dialog, einem wirklichen Kontakt auf der geistigen Ebene führen. Die größte Erfüllung gibt uns dieser Kontakt, wenn er so intensiv ist, daß er uns wirklich „berührt".

Es gibt einen großen Unterschied zwischen Dialog und „tieferen Dialog". Im ersten Fall sprechen wir nur über Fakten, wie beispielsweise über das Wetter, im zweiten kann ein Partner neben oder mit Gegebenheiten seine Gefühle offenbaren. Etwa: *„Als wir uns vor zwei Jahren in Venedig begegnet sind, hattest du ein rotes Kleid an, ich sah deine Formen, aber vor allem: dein Gesicht strahlte; mein Herz klopfte schneller, ich war bewegt und habe die Blumen für dich hinter meinem Rücken versteckt, wie ein schamvoller kleiner Junge ... ich werde diesen Augenblick niemals vergessen."*

Allein bei dieser Vorstellung, beim Erzählen von dieser Begegnung kommt es schon zu einer verstärkten Ausschüttung von Hormonen. Sicher bewegt sich dabei etwas in der Herzgegend, vielleicht rührt sich auch – noch ganz leidenschaftslos – etwas in den erotischen Zonen.

Jetzt haben wir den zweiten Schritt getan und beginnen, unsere Gefühle frei auszudrücken, indem wir uns auf allen Ebenen mitteilen, besonders das, was uns am Herzen liegt.

Dies geschieht zwar bereits beim sprachlichen Ausdruck, den wir aber durch einen gefühlvoll-zärtlichen Hautkontakt verstärken können. Dabei wird der gesamte Körper mitschwingen.

Somit kommen wir nach der Syntonie, einem harmonischen Einschwingen, auf der geistigen Ebene zur Syntonie der Gefühle und schließlich dann zu jener des gesamten Körpers.

Erst wenn Geist, Seele und Körper eins werden, kann es auch zu einem vollkommenen Austausch aller Ebenen beim sexuellen Erleben kommen. Jeder von uns ist *allein* nicht im völligen Gleichgewicht und bedarf des anderen, um vollständig, ganz zu werden.

Wir können die Übungen damit beginnen, daß wir zu zweit die Einzelübungen machen und dabei unsere Erfahrungen miteinander austauschen.

Dann können wir mit den Partnerübungen beginnen, über die es zu einer intensiven Syntonie der Körper kommt. Diese Syntonie ist Grundlage für einen tiefgehenden sexuellen Austausch – auf den wir in diesem Buch aber nicht eingehen. Ohne diesen Austausch bleibt Sex Gymnastik, bei der Testosteron beziehungsweise Östrogen abgebaut und allein ein Verlangen auf der körperlichen Ebene befriedigt wird.

Nur wenn eine den geistigen und emotionalen Bereich mit einschließende Beziehung zum Partner gelebt wird, bauen vor und während des sexuellen Austauschs Hormone auf. Und nur so lange Hormone aufgebaut werden, bleibt die Beziehung dauerhaft und hält der Abstumpfung der Gefühle füreinander durch die Gewohnheit stand. Nach einem solch umfassenden sexuellen Austausch fühlt man sich nachher „zufrieden" und noch voller Liebe füreinander.

Dies schließt natürlich einen immerhin reizvollen, aber nur physisch anspruchsvollen Geschlechtsverkehr nicht aus, besonders während des jugendlichen Überschusses an vitalen Hormonen. Wird es Regel, verliert er bald seinen Reiz und keine „technische" Steigerung wird der aufkommenden Langeweile abhelfen können.

Den Kontakt zur menschlichen Umwelt fühlen

Übungen, die man in der Gruppe machen kann

Hier ist gemeint, was Erich Fromm schon mit „... wer einen Menschen liebt, liebt die ganze Welt." beschrieb. Als soziales Wesen braucht der Mensch soziale Kontakte, muß wahrnehmen können, wie sich ihm Menschen seines Umfelds zuwenden.

Die Gruppenübungen vermitteln ein wohltuendes Gefühl von absolut unbedingter Sicherheit. Hierbei erleben wir uns auch rein physisch als Mittelpunkt der Welt, der wir – philosophisch gesehen – ja eigentlich auch sind. Durch diese starke Erfahrung wird aus dem „ich denke, also bin ich" ein „ich fühle, also sind wir".

Das Nehmen ist ein wichtiger Bestandteil der Gruppenübungen, wobei wir auch lernen, allen anderen etwas zu geben.

Nur wenige Familien verfügen heute noch über einen tieferen Kontakt, der es zuläßt, daß Liebe, Zuneigung und gegenseitiges Interesse intensiv ausgetauscht werden.

Interessanterweise ist es oft leichter, diese Gruppenübung mit *fremden* Menschen zu machen, die man vorher nicht gesehen hat und auch nachher meist nicht mehr sehen wird.

Das Gefühl, der totale Mittelpunkt zu sein, wird durch das Auflegen von vielen Händen vermittelt. Hände, die wir an unterschiedlichsten Zonen unseres Körpers spüren, lösen Psyche und Körper gleichermaßen und vermitteln uns das Gefühl, Teil einer Welt voller Liebe zu sein. Es ist eine erhebende und nachhaltige Erfahrung.

Bei der Endogenen Induktion passiert weitaus mehr als einfach nur das Handauflegen. Es ist ein Wahrnehmen und Austauschen von Energien. Diese Form der Behandlung verlangt unsere liebevolle Hinwendung und manchmal auch Geduld, wenn wir Menschen behandeln, die sehr aus dem Geist-Körper-Gleichgewicht geraten sind, ebenso bei stark kopflastigen, nervösen Menschen.

Dabei kann ein geübter „Trainer" seine Klienten schon beim ersten Mal große Wirkungen spüren lassen, zu denen sie allein erst nach etwas längerer Übung finden würden.

Wir beginnen hier nun mit den verschiedenen Übungsprogrammen. Die Auswahl an Übungen ist groß. Wenigstens einmal sollten Sie alle ausprobieren, um schließlich herauszufinden, welche für Sie selbst am wirksamsten sind. Danach können Sie die Zeit, die Sie sich dafür freihalten, für die Übungspositionen nutzen, die das größte Wohlbefinden in Ihnen auslösen.

Wir werden uns mit den Übungen verändern, in unserer Persönlichkeit wachsen, zu einem harmonischeren Selbstausdruck kommen und über mehr Ausstrahlungskraft verfügen. Die positiven Veränderungen können wir bei uns schnell wahrnehmen – auch dann, wenn der ausgelöste Prozeß weniger ein plötzliches Finden als vielmehr ein langsames und stetiges Wachsen ist.

Die Übungen der Endogenen Induktion

Von Spannung auf Entspannung umschalten

Adrenalin abbauen und Endorphin aufbauen

Wenn wir noch einmal ein angespanntes und ein heiteres, entspanntes Gesicht vor Augen halten, haben wir ungefähr eine Vorstellung von der großen Veränderung, die ein Umschalten von Spannung auf Entspannung in uns bewirken kann.

Obwohl die Entspannungsübungen so viel Erleichterung bringen, ist es für viele nicht möglich, aus einer angespannten Situation heraus sofort mit den eigentlichen Übungen der Endogenen Induktion zu beginnen.

Vor der Beschreibung der einzelnen Übungen haben wir hier die Übungsabfolge in einer Übersicht zusammengestellt. Damit wird der Ablauf der Behandlungen deutlicher, und es fällt uns später leichter, uns an sie, auch ohne die Anleitung des Buches, zu erinnern.

Behandlungs-Übersicht

1
Entspannende
Bewegungsübungen:
Auf der Stelle laufen;
tanzen; rhythmische
Bewegungen

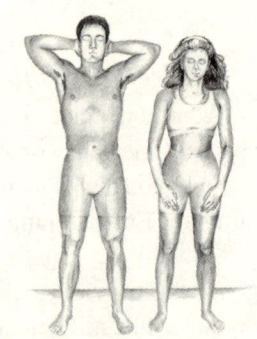

2
Kontakt mit der „Erde"

3
Sich nach dem Bedürfnis des Körpers bewegen

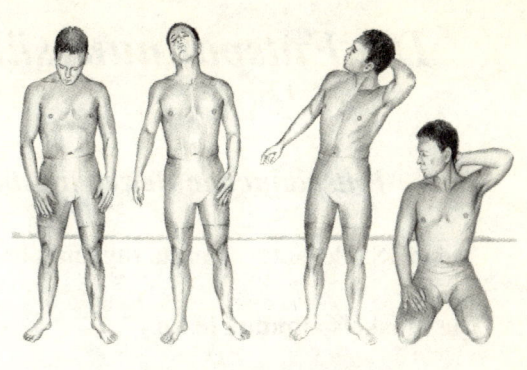

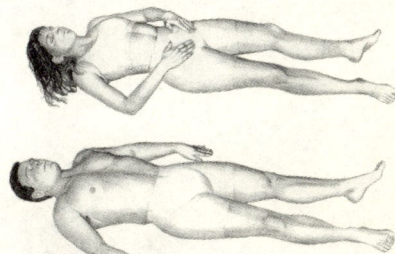

4
Die „ausgeglichene Stel-
lung" einnehmen

5
Atemübungen

6
Den Blick nach innen richten und das Vorstellungsvermögen üben,
indem wir die einzelnen Körperteile visualisieren

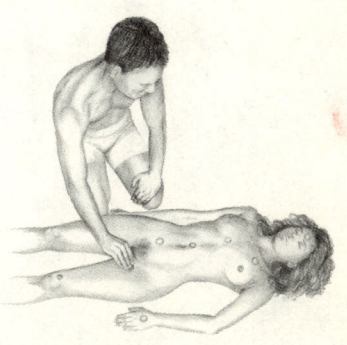

7
Den Tastsinn der Haut steigern

Die Entspannungsübungen

1
Entspannende Bewegungsübungen:

Auf der Stelle laufen, tanzen, rhythmische Bewegungen

Die Muskelspannung lösen

Anmerkungen: Um eine angenehme Entspannung der Muskeln zu erreichen – die Voraussetzung für die Endogene Induktion –, bieten sich verschiedene Bewegungsübungen an, die Sie gut auch zu Hause ausführen können.

Anstatt im Freien zu joggen, können Sie einfach auf der Stelle laufen oder zu rhythmischer Musik, die Ihnen gefällt, tanzen.

Leichte Gymnastikübungen sind ebenfalls geeignet, um den Körper zu entspannen. Sie können dabei frei improvisieren oder einfache Sportgeräte, wie sie heute überall angeboten werden, einsetzen. Wichtig ist, daß es Spaß macht.

Einzig ausschlaggebend ist die Intensität der Bewegungsübungen: Dabei sollte sich der Pulsschlag um etwa 10 % beschleunigen. Das passiert schon dann, wenn Sie beim Bewegen richtig ins Schwitzen kommen.

Bei den rhythmischen Bewegungen werden zusätzlich noch Endorphine ausgeschüttet. Die Mühe macht sich also direkt mit einem erhöhten Wohlbefinden bemerkbar.

2
Kontakt mit der „Erde"

Die Füße – nach Möglichkeit barfuß – fühlen den Kontakt zum Boden; wir können in der „ausgeglichenen Stellung"* stehen, aber auch die Hände gegen den Himmel strecken oder im Nacken verschränken.

Den Kontakt mit der Erde herstellen

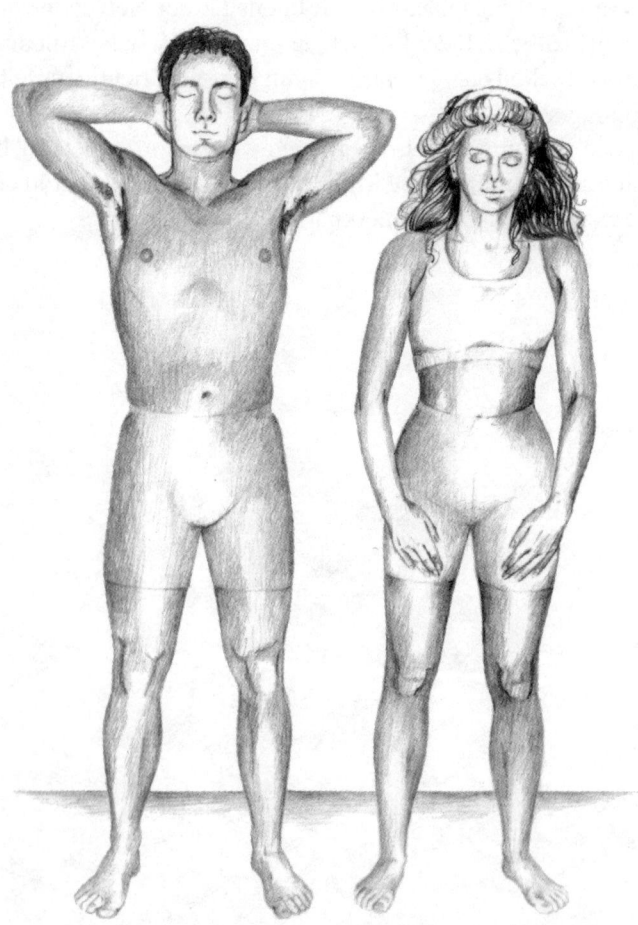

Anmerkungen: Es ist heute schon gar nicht mehr für jeden überall möglich, mit nackten Füßen auf der „Erde" zu stehen. Deshalb müssen Sie auch hier manchmal mit der Vorstellung etwas nachhelfen – mit der Vision einer taufrischen Wiese, von warmem Sand am Strand oder was uns eben gut gefällt.

Die Vorstellung hilft uns noch weiter: Sie werden mit der „Erde" eins, fließen in sie hinein und lassen alle negative Energie von sich ab- und in den Boden hineinfließen.

Aber Sie fühlen auch den Halt unter Ihren Füßen, auf dem unser Kern-Selbst sein Gleichgewicht finden kann.

Außerdem können Sie jetzt Ihren Körper „schwer" werden lassen. Diese Wahrnehmung stellt sich fast von selbst ein. Wenn Sie sich darauf konzentrieren, fühlen Sie, wie das Blut sich vom Kopf in Richtung Füße bewegt.

Sooft Sie Gelegenheit dazu haben und natürlich besonders, wenn Sie tatsächlich in der Natur sind und auf der wirklichen Erde stehen, sollten Sie sich die Erfahrung gönnen: einfach die Schuhe ausziehen und den „Kontakt mit der Erde" genießen.

Einige können sich vielleicht an eine glückliche Kindheit erinnern, an Zeiten, als sie noch barfuß liefen.

Die „ausgeglichene Stellung" ist auf den Seiten 72 - 73 beschreiben.

3
Sich nach dem Bedürfnis des Körpers bewegen

Den Körper nach seiner Melodie bewegen

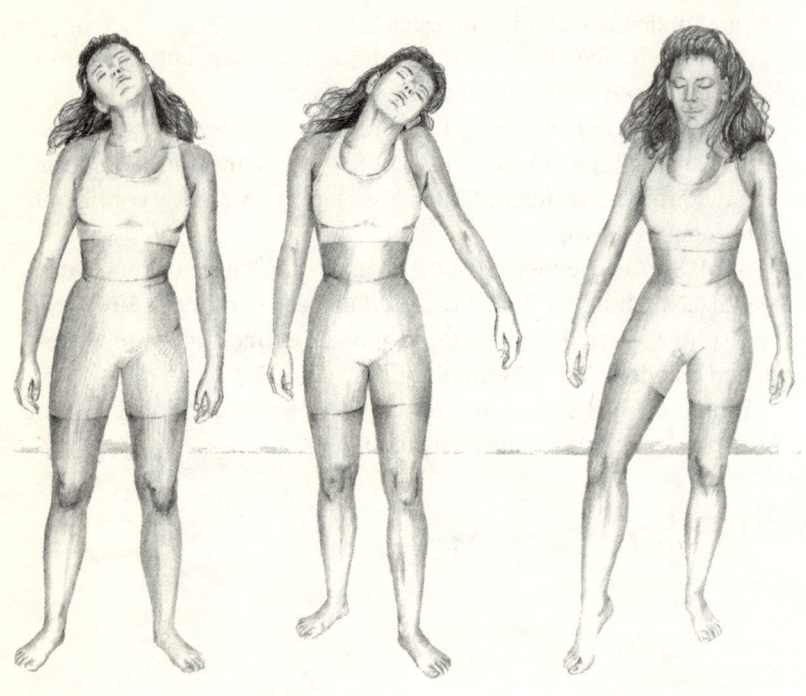

Anmerkungen: Diese Übung ist die leichteste, auch wenn sie uns am Anfang vielleicht schwerer als die anderen erscheint, weil wir verlernt haben, unserem Körper zu folgen.

Hören wir aber auf unseren Körper, werden wir erkennen, was er braucht!

In Einklang mit dem Körper zu kommen ist am schwierigsten für diejenigen, die sich in Disharmonie mit ihrem Körper befinden

und keine Melodie, keinen eigenen Körperrhythmus mehr wahrnehmen können, weil es in ihrem Innenleben zu chaotisch zugeht.

Aber auch das ist kein Problem, wenn man ruhig stehen bleibt! Es genügt in einem solchen Fall, einfach abzuwarten, auf das erste klare Signal zu hören und anfangs vielleicht willentlich etwas nachzuhelfen: mit einer Kreisbewegung der Hand oder leichtem, kreisendem Schwanken.

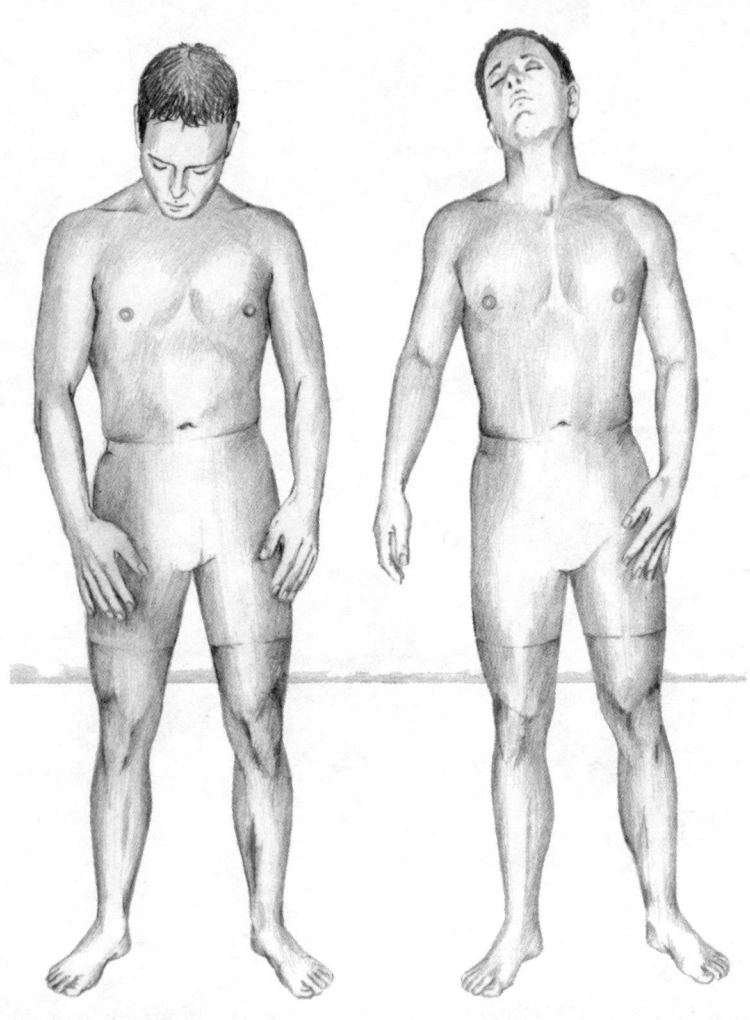

Wenn wir uns in eine Ruhestellung versetzen und geduldig in uns hineinhören, ist es uns möglich, vom Körper verlangte Bewegungen zu spüren; zunächst kann es ein „Ziehen im Genick" sein, nach dem wir den Kopf drehen, dann „will" die Schulter nach oben, das Knie vor, oder wir fühlen das Bedürfnis, uns hinzuknien.

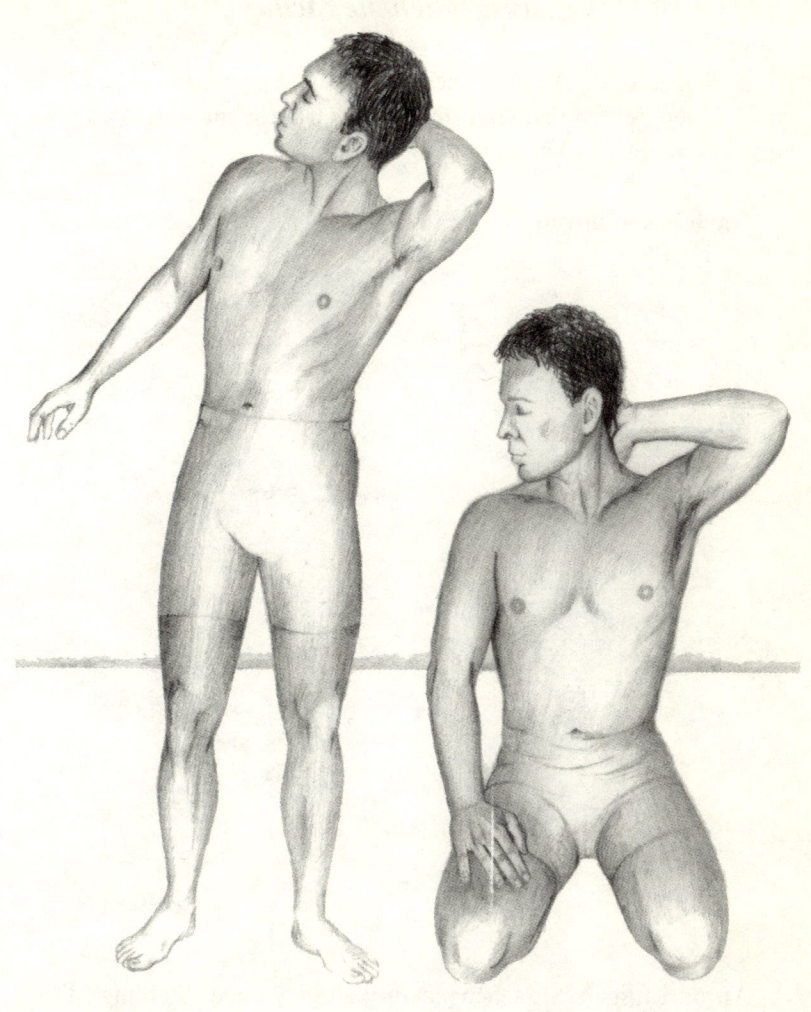

Es kann auch ins uns zu toben beginnen; dann schlagen wir eben auf ein Kissen und reagieren die Spannung soweit wie möglich ab. Am Ende dieser Übung sollte immer eine Ruhephase eingelegt werden, besonders wenn wir viele Emotionen in uns gelöst haben und das gewohnte Gleichgewicht wiederherstellen wollen.

4
Die „ausgeglichene Stellung"

Im Liegen die „ausgeglichene Stellung" einnehmen, den Blick nach innen richten und ungezielt, passiv wahrnehmen, was an Eindrücken in uns hochkommt.

Nach innen hören

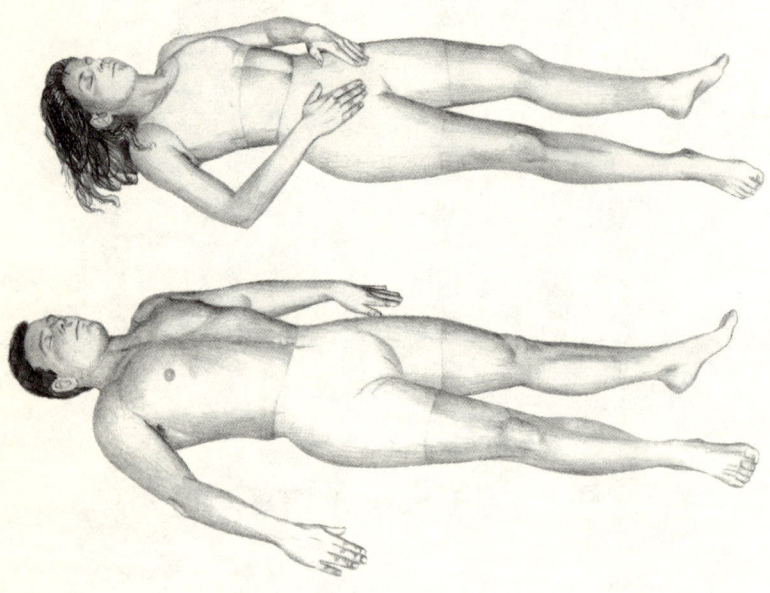

Anmerkungen: Sie sehen hier die „ausgeglichene Stellung". Der Körper liegt auf dem Rücken, in völliger Symmetrie, Streck- und Ziehmuskeln sind in ausgeglichener Stellung. Wenn keine Spannung mehr im Körper ist, sollte auch die Hand *flach* und ganz entspannt sein. Es ist wichtig, darauf zu achten, daß die Hand nicht in einer Stellung liegt, die ausdrücken könnte, daß etwas herangezogen oder festgehalten wird.

Die Fußspitzen sind leicht nach außen geneigt. Wir bemühen uns, in dieser Stellung eine perfekte Symmetrie zu erreichen, beobachten unseren Körper, als könnten wir uns von einem Punkt beobachten, der über und außerhalb von uns liegt.

Die Konzentration auf unseren Körper bringt unsere Gedanken zur Ruhe. Sie sollten ganz vergessen zu denken, nur noch Wolken über sich ziehen sehen und einen leichten Wind spüren. Dies ist die ideale Körperhaltung – wenn auch anfangs nicht für jeden, denn chronische Spannungen, die den Körper schon leicht deformiert haben, können sich dabei schmerzhaft bemerkbar machen.

Es kann sein, daß Sie den Drang verspüren, Ihre Füße zu verschränken. Dieses Gefühl hält nur so lange an, bis die Entspannung vom Körper auch auf die Psyche übergegangen ist.

Diese Stellung kann also anfangs etwas Mühe bereiten, aber früher oder später werden Sie diese Ausgangsstellung perfekt beherrschen. Während dieser „Meditation" zeigen sich auch momentane Hemmungen und Spannungen.

Nebenbei bemerkt: zusammengerolltes Schlafen rührt von einer Anspannung der Bauchmuskeln her. Wenn es Ihnen gelingt, in der ausgeglichenen Stellung einzuschlafen, wird der nachfolgende Schlaf viel tiefer und entspannter sein.

In der ausgeglichenen Haltung stehen sich Geist und Körper gegenüber, es kommt zu einer intensiven Körper-Psyche-Begegnung – wenn Sie sich hier öffnen, werden Sie Ihrer eigenen Wahrheit begegnen.

5
Atemübungen

Bei den Atemübungen den eigenen Atemzug beobachten, dann tief und lang atmen, den Körper mit Sauerstoff sättigen, bis es zu einem leichten Rauschgefühl kommt

Dem Grundrhythmus des Lebens nachspüren:
Einatmen und Ausatmen

Anmerkungen: „Im Atmen liegen zweierlei Gnaden ...“ Tatsächlich ist die Atmung die sicher wichtigste organische Funktion, über die wir Entspannung erreichen können.

Von ihr hängt die lebenswichtige Sauerstoffzufuhr für den ganzen Körper, insbesondere für das Gehirn ab. Ohne ausreichend Sauerstoff zur Verfügung zu haben, können wir nicht denken. Unterbrechen wir den Atemrhythmus, sterben bald die ersten Gehirnzellen ab, kurz darauf der gesamte Organismus. Trotzdem atmet der Großteil der Menschen nicht in einer Weise, die optimal für die Sauerstoffversorgung wäre. Selbst der Unterschied zwischen Brust- und Bauchatmung ist nicht allen geläufig.

Einfluß auf den Körper: physiologisch gesehen wäre es gut, das maximale Volumen unseres Atempotentials auszunutzen. Wenn wir unseren Atem beobachten, spüren wir, wie Bauch und Brust sich mit Atemluft füllen. Normalerweise wird die Brustatmung vernachlässigt. Der Atem regelt sich von selbst. Wenn unser Körper Sauerstoff benötigt, atmen wir unwillkürlich stärker, intensiver.

Wenn wir dem Atem folgen, spüren wir die Luft kühler in uns hinein- und wärmer aus uns herausfließen. Dabei fällt uns eine deutlich spürbare körperliche Erleichterung auf.

Einfluß auf die Psyche: Zwischen Spannung und Entspannung und Einatmen und Ausatmen besteht eine tiefe Beziehung. Psychisch angespannt atmen wir schlecht, Angst kann uns den Atem verschlagen, und in einem Raum, der uns unangenehm ist, „können wir einfach nicht atmen“.

Beim Atmen können wir uns vorstellen, wie die nähere und entferntere Umwelt in uns hineinfließt. Tatsächlich verändern wir, mit jedem Atemzug, die gesamte Welt. Der Atem ist die Brücke zwischen Ich und Umwelt, wir können uns nicht „isolieren". Hier sehen wir deutlich die Notwendigkeit des Kontaktes, aber auch unsere Abhängigkeit. Einatmen und Ausatmen ist der Grundrhythmus unseres Lebens, Einatmen bringt uns in Spannung, Ausatmen entspannt spürbar; Einatmen ist Nehmen, Ausatmen ist Geben, Einatmen heißt Kontaktaufnehmen, Ausatmen heißt Loslassen. Einatmen ist Beschränkung, Ausatmen Befreiung. Nach jeder getanen Arbeit atmen wir auf, und so entspannen wir uns.

Jeder Mensch beginnt sein Leben mit dem ersten Atemzug, wird damit unabhängig, frei – und beschließt sein Leben mit dem letzten Atemzug, er befreit sich aus den Grenzen dieses Lebens.

Jedes Zimmer hat ein Fenster. Wir können es öffnen und mit der frischen Luft unsere gesamte geistig-psychische Aktivität steigern. Der Hunger nach Luft ist zugleich Hunger nach Freiheit, nach freiem Raum. Wir können auch sagen, daß der Atem nicht in uns ist, sondern daß wir im Atem sind, wie in einer unendlich großen Gebärmutter.

Sich diesen Überlegungen hinzugeben heißt, das Ich in seine reale Dimension zurückzubringen. Wir werden wieder normale Menschen und sind entspannt, vielleicht auch glücklich.

6
Den Blick nach innen richten und das Vorstellungsvermögen üben, indem wir die einzelnen Körperteile visualisieren

Wir bringen uns nochmals in die „ausgeglichene Stellung", achten darauf, daß der Körper in ein harmonisches Gleichgewicht einschwingt und uns keine ungewollten Wahrnehmungen stören.

Dann beginnen wir, nacheinander die verschiedenen Körperteile im Detail zu visualisieren: Knie, Nacken, Magen, Hand, Stirn, aber auch Herz, Lungen, Unterleib und die Sexualorgane.

Wir üben uns in einfühlsamer Anatomie, lernen den Körper besser kennen und gelangen über diesen intensiven Kontakt in den gewünschten teilhypnotischen Zustand. Wir konzentrieren uns ganz auf das Visualisieren unseres Körpers im Detail. Wo sich stärkere Wahrnehmungen formen, verweilen wir mit unserer Aufmerksamkeit. Daraufhin erhält das betreffende Organ einen größeren Zufluß an Blut.

Die einzelnen Teile des Körpers fühlen und sehen

Anmerkungen: Mit den vorangegangenen Übungen haben wir eine teilweise Entspannung erreicht und dabei auch zu einem besseren Kontakt zu unserem Körper gefunden; die endogenen, von innen, von unserem Körper kommenden Wahrnehmungen überschatten die exogenen, von außen kommenden, wie beispielsweise Geräusche und auch alle anderen Sinneseindrücke.

Es ist das Ziel der Übungen, daß wir uns als Einheit fühlen, uns ganz auf die nach innen gerichteten Wahrnehmungen konzentrieren können. Wenn wir uns jetzt an das Knie „wenden", können wir es förmlich vor uns sehen, wir fühlen seine Knochen und Knorpel. (Wenn wir mit der Anatomie nicht sehr vertraut sind, kann uns zum Verständnis des Körpers ein Anatomieatlas sehr nützlich sein.)

Dabei sollten wir alle Vorurteile loslassen, die wir bestimmten „versteckten" Körperteilen gegenüber haben, den sogenannten Tabuzonen. Das Verhältnis zu Penis und Vagina sollte für uns nicht anders und ebenso selbstverständlich sein wie zu Nase und Mund, beziehungsweise mit ihnen gleichgesetzt werden.

Gerade die verborgenen Zonen sind psychosomatisch bedeutsame Bereiche, in denen viel Potential zum Aufarbeiten gestaut sein kann. Vielleicht kommen wir dabei sogar ins Staunen – und vieles ist sicherlich auch staunenswert.

7
Den Tastsinn der Haut steigern

Bei dieser Übung ist vielleicht die Unterstützung einer anderen Person notwendig, außerdem macht sie zu zweit sehr viel Spaß. Wir nehmen die „ausgeglichene Stellung" ein, unser Partner oder die Partnerin setzt sich an unsere Seite und legt ganz sanft an verschiedenen Körperstellen unterschiedlich schwere Münzen auf die Haut. Es ist jetzt unsere Aufgabe – mit geschlossenen Augen – die genaue Position der Münzen und ihr Gewicht (z. B. Pfennig-, Mark, Fünfmarkstück) anzugeben, die entstehende Wärme und so weiter. Es gibt hier unendlich viele Spielarten und Möglichkeiten, die Wahrnehmung zu steigern. Denken wir nur an den Blinden, der imstande ist, nicht nur mit der Hand, sondern auch mit der Haut „zu sehen".

Die Empfindsamkeit der Haut erhöhen

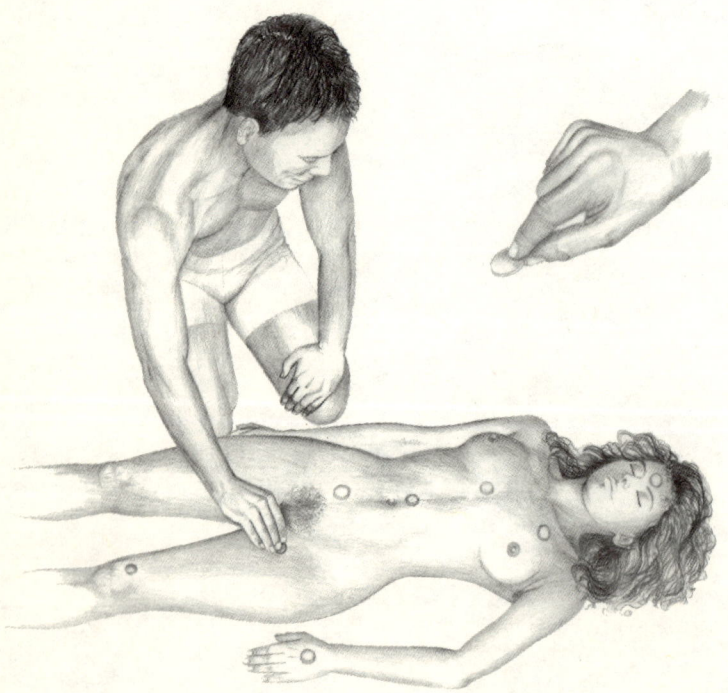

Anmerkungen: Wir steigern mit dieser Übung einerseits die Empfindsamkeit der Haut; andererseits ermöglicht sie es uns, blockierte Körperzonen zu entdecken.

An einigen Körperstellen, meist sind es die erogenen Zonen, können durchaus psychosomatische Sperren bestehen. Eine junge Frau, deren Brust berührt wurde, bemerkte: „Es war, als ob die Brust eines Menschen neben mir berührt würde; ich fühlte mich an dieser Stelle wie ein Stück Holz."

Grundsätzlich kann jede Körperzone energetisch „ausgeschaltet" sein, dort können unangenehme Erinnerungen, Ängste vor Krankheiten und vieles mehr gespeichert sein. Energetisch gesehen ist der Körper ein Spiegel unserer Wahrnehmungen, ein Depot unserer Erinnerungen. Hier können wir die Ursachen psychischer Hemmungen freilegen, damit sie der bewußten Bearbeitung wieder zugänglich werden.

Hemmungen und Blockaden lösen

Übungen, die man allein machen kann

Dabei die Psyche von Hemmungen und Blockaden befreien, den Kontakt zwischen Geist und Körper intensivieren und das hormonelle Gleichgewicht wiederfinden.

Einzelbehandlungs-Übersicht

A) Auf dem Rücken liegend

A1
Linke Hand zum rechten
Fuß (und umgekehrt),
Fußsohlenmassage

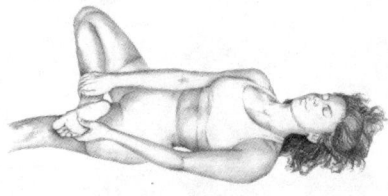

A 2
Linker Fuß zum rechten
Knie (und umgekehrt), die
Hände im Nacken ver-
schränkt

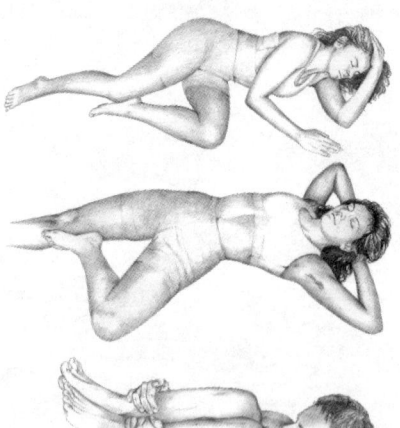

A 3
Knie zur Brust – die
Fesseln mit den Händen
umfassen und drücken

A 4
Mit den Fingerkuppen die
Innenseite der Oberschen-
kel vom Knie bis zur
Leiste streicheln

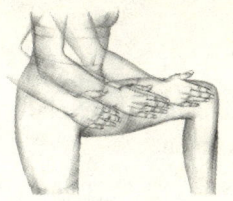

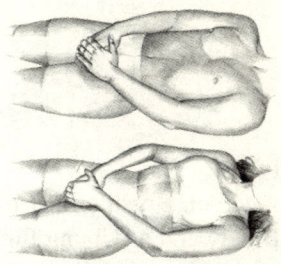

A 5
Die Hände mit leichtem Druck
auf die Leistengegend, der
Mann berührt dabei die
Hoden, die Frau die Vagina

A 6
Übung für den Mann:
Mit den Fingern beidseitig
auf die Leisten drücken

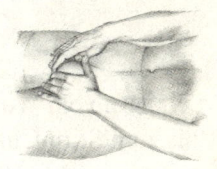

A 7
Übung für die Frau:
Mit übereinandergelegten
Händen oberhalb des Scham-
beins drücken. Daraufhin die
Hände mit verringertem Druck
nach oben gleiten lassen.

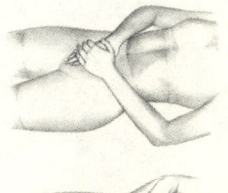

A 8
Mit den Fingerkuppen leicht
auf den Nabel drücken

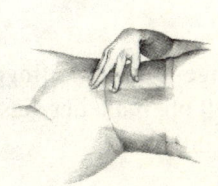

A 9
Die Hände auf den Solar-
Plexus legen

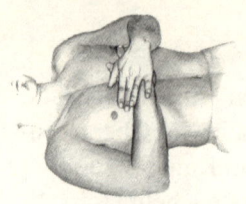

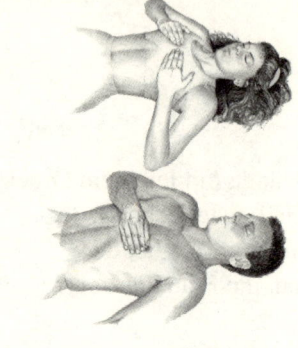

A 10
Massage von Brustkorb, Brust
und Brustwarzen (Übung für
Mann und Frau)

A 11
Mit den Fingern vom Wurzel-
Chakra bis zum Stirn-Chakra
streichen

A 12
Das Streicheln der Gesichts-
muskeln

A 13
Mit Zeige- und Mittelfinger
kraftvoll oberhalb der Nasenwurzel drücken

A 14
Eine Hand unter den Kopf, die
andere auf die Stirn legen

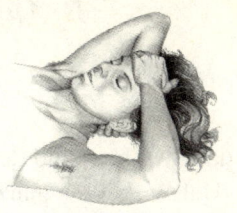

A 15
Mit den Fingern die Schläfen
berühren, mit den Daumen die
Ohren zuhalten

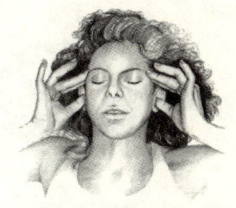

A 16
Massage der Kopfhaut

A 17
Die Hand zuerst auf die linke,
dann auf die rechte Hemi-
sphäre (Kopfseite) legen

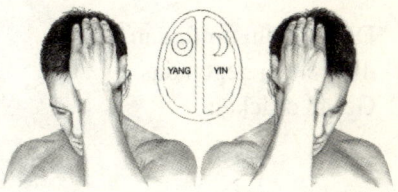

B) Auf der Seite liegend

B 1
Über das Steißbein und den
ersten Halswirbel die ganze
Wirbelsäule zusammen-
drücken

B 2
Eine Hand im Nacken, die
andere unter den Knien, die
Stirn gegen die Knie
drücken

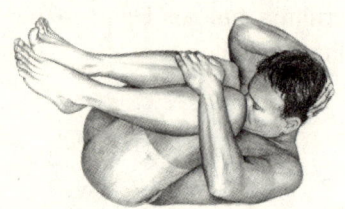

C) Auf dem Bauch liegend

C 1
Die Fesseln umfassen und
die Fersen gegen das
Gesäß drücken

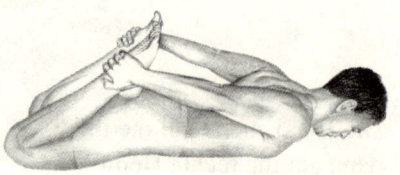

C 2
Die Gesäßbacken massieren

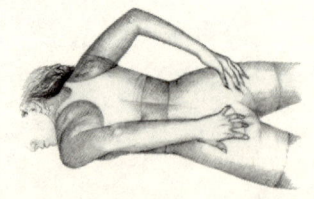

84

C 3
Hände um die Taille legen
und die Nieren streicheln

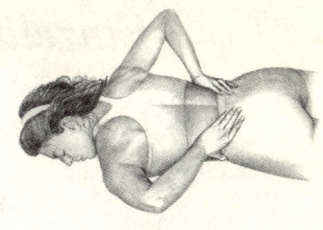

C 4
Kopf auf den Ellenbogen
legen und gegen ein Kissen
drücken

D) Erotisierende Bewegungen

D 1
Die Bewegungen des
Geschlechtsverkehrs
bewußt nachmachen

Einzelübungen

A) Auf dem Rücken liegend:

A 1
Linke Hand zum rechten Fuß; Fußsohlenmassage

Fuß: **Über die Fußsohle auf die Organe einwirken**
Fessel: **Sicherheit fühlen**

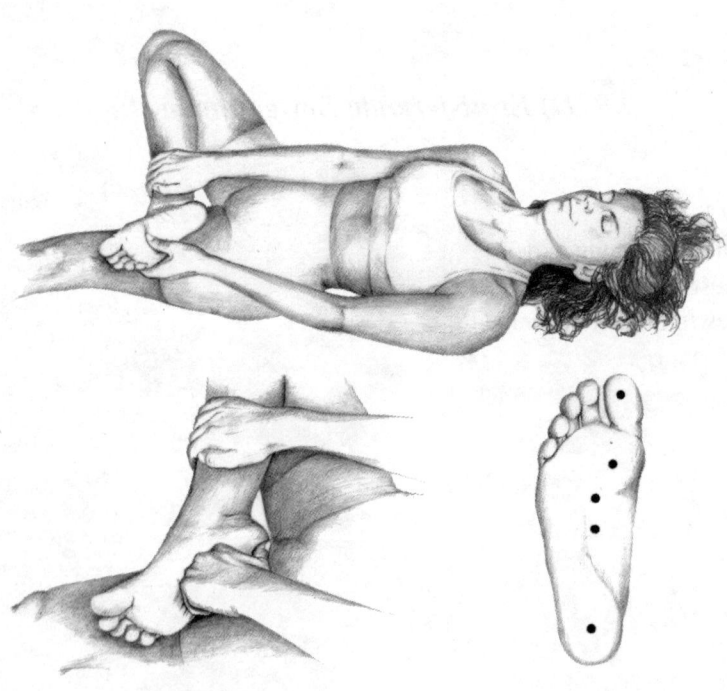

Anmerkung: Wer sich schon einmal die Fußsohlen hat massieren lassen, kennt die Empfindungen, die in ganz anderen Teilen des Körpers hervorgerufen werden. Besonders angenehm ist die Massage, wenn der Massierende die einzelnen Reflexpunkte kennt.

Wir entspannen uns bei der Massage und beobachten, wie ein leichter Energiefluß vom Fuß zu den Organen spürbar wird.

In unserer Abbildung sind die Punkte angegeben, auf die wir einen stärkeren Druck ausüben sollten.

A 2
Linker Fuß zum rechten Knie und umgekehrt –
Hände im Nacken verschränkt

Knie: **Befreit voranschreiten**
Nacken: **Gedankenverbindungen schaffen**

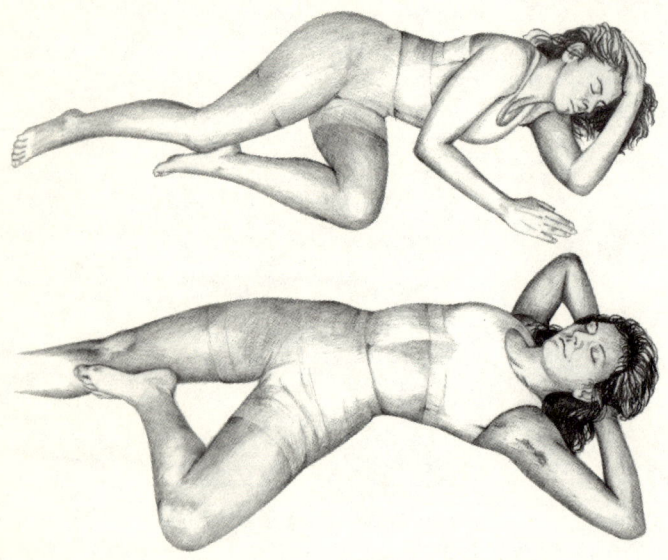

Anmerkungen: In dieser Übung verbinden wir zwei wichtige Körperzonen, Knie und Kopf. Das Knie, dessen psychosomatisch übertragene Bedeutung das eigene Fortschreiten ist, Schritte, die wir in unsere Zukunft machen, mit dem Kopf, der unseren Bewegungsspielraum dominiert.

Wir winkeln ein Bein an und legen die Fußsohle dabei an das andere Knie. Die Hände legen wir in den Nacken und schließen im wörtlichen Sinne damit unseren Kopf ein.

Knieschmerzen sind oft eine Folge der Unfähigkeit, uns weiterzuentwickeln, ein Nicht-Wollen oder Nicht-Können, und sehr häufig sind Knieschmerzen psychisch bedingt.

A 3
Knie zur Brust –
die Fesseln mit der Hand umfassen und drücken

Den gesamten Körper und sich selbst genießen

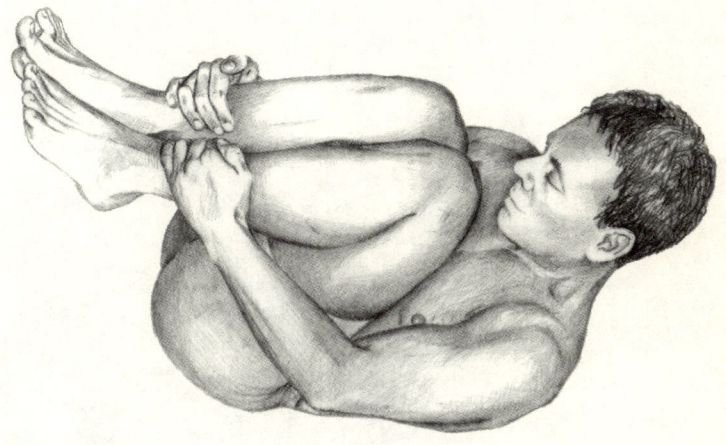

Anmerkung: Wir sehen und spüren unseren Körper von außen – mit angenehmer Distanz. Wir umarmen, streicheln ihn, rollen uns zusammen. So zusammengerollt spüren wir, wie größere Zonen unseres Körpers Hautkontakt miteinander aufnehmen. In dieser Stellung, die Stirn berührt das Knie, fühlen wir uns eins mit uns selbst, wie sonst selten. Diese Übung unterscheidet sich von den vorhergehenden, weil wir eine natürliche Spannung erzeugen.

Dabei wird unsere eigene Muskelkraft spürbar.

A 4
Mit den Fingerkuppen die Innenseite der Oberschenkel vom Knie bis zur Leiste streicheln

Die intensive Wahrnehmung

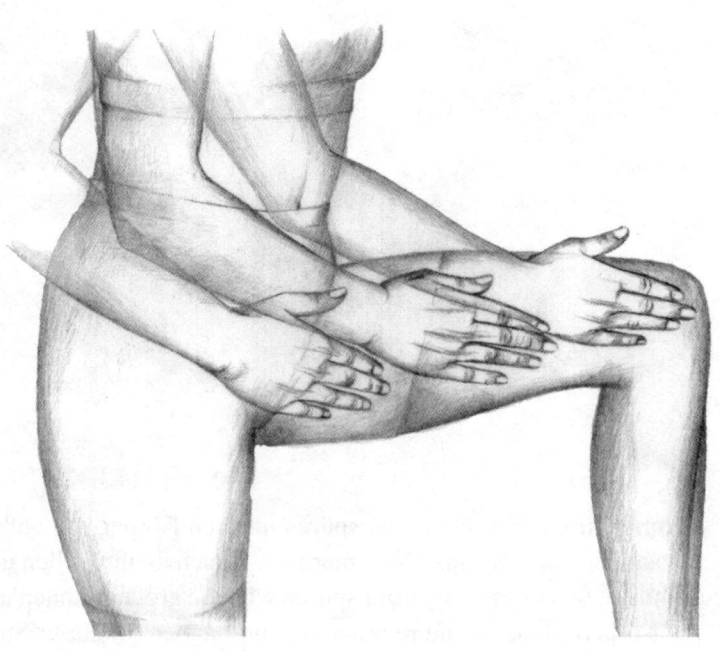

Anmerkung: Die Innenfläche der Oberschenkel berühren wir normalerweise selten.

Während der Übung sollte der Körper ruhig bleiben (wie bei der „ausgeglichenen Stellung") und sich nur die Hände bewegen. Vielleicht haben wir dabei ganz neue Empfindungen. Anfänglich kann es eine Art Kitzeln sein – eine sehr starke Wahrnehmungsübertragung durch Taktzellen, die selten berührt werden –, die dann in eine sanfte Erregung übergehen wird. Die Innenseite der Oberschenkel wird warm. Gerade diese Zone ist sehr empfindsam, da sie der aufregende Weg zum Genitalbereich ist.

Die Innenseite der Oberschenkel ist eine starke Tabuzone, besonders bei jungen Frauen. Auch die Hand einer sehr nahestehenden Person erzeugt zunächst meist eine unangenehme, als gefahrvoll empfundene Erregung. Wenn wir mit dem Finger an der Innenseite entlangfahren, entdecken wir leicht die richtige Linie und an dieser entlang besonders reizstarke Punkte, an denen wir dann eine Weile innehalten.

Beim Mann kann diese Übung zu einer nervösen Entladung der Hoden führen, von der Frau wird besonders die psychische Wirkung als sehr stark empfunden.

A 5
Die Hände mit leichtem Druck auf die Leistengegend
(Der Mann berührt die Hoden, die Frau die Vagina)

Vorurteile abbauen und einen vorurteilslosen Kontakt zu den „dunklen" Zonen aufbauen

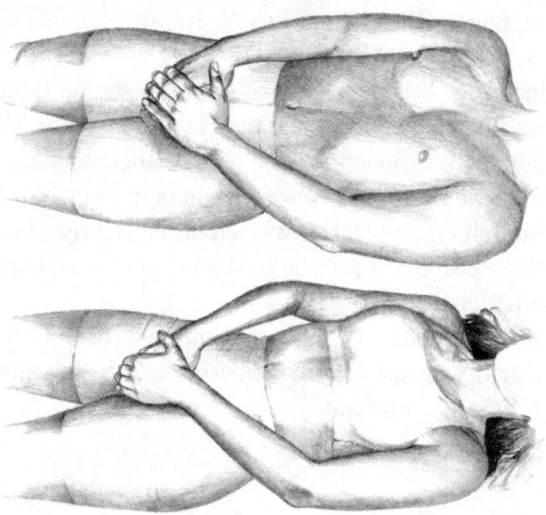

Anmerkungen: Vor allem keine falsche Scham oder Angst vor dieser Übung. Wir betrachten die Sexualorgane wie jedes andere Organ auch. Für viele ist das eine Herausforderung, und es ist wichtig, sie anzunehmen. Über ein Tabu hinwegzugehen bedeutet auch, die eigene Angst zu besiegen.

Die Wahrnehmungen können sehr stark sein. Fast immer spürt man ein kräftiges Pulsieren, es konzentriert sich Wärme. Es sollten aber keine erotischen Empfindungen aufkommen. Die Übung versucht, uns dafür zu öffnen, die Wahrnehmungen aus diesem Bereich stärker, wertungsfreier zu spüren, damit wir diese Organe als lebendigen Teil unseres Körpers annehmen können und eine natürliche Beziehung dazu entwickeln. Wir nehmen alle Eindrücke wahr, visualisieren Vitalität, Sicherheit und das Wohlgefühl des Kontaktes.

A 6
Übung für den Mann:
Mit den Fingern beidseitig auf die Leisten drücken

Die Anregung der vitalen Kraft

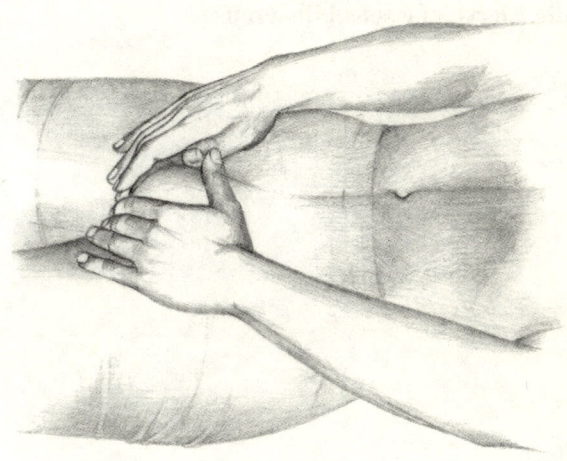

Anmerkungen: Die Hände werden auf die in der Abbildung gezeigten Zonen gelegt. Wir üben dabei ganz nach Gefühl einen mehr oder weniger starken Fingerdruck auf die Innenseite der Leiste aus. Dabei entsteht sehr schnell Wärme. Wir haben damit einen Punkt oberhalb eines Nervenstranges, der zu den Hoden führt, berührt.

Diese Übung steigert die Aktivität der Drüsen, die Testosteron freistellen. Damit wird die Erregungsfähigkeit nicht nur im erotischen Sinn, sondern auch ganz allgemein gestärkt.

A 7
Übungen für die Frau:
Mit den übereinander gelegten Händen oberhalb des Schambeins drücken. Daraufhin die Hände mit verringertem Druck nach oben gleiten lassen

**Durch Wärme den gesamten Unterleib
und die Eierstöcke sensibilisieren**

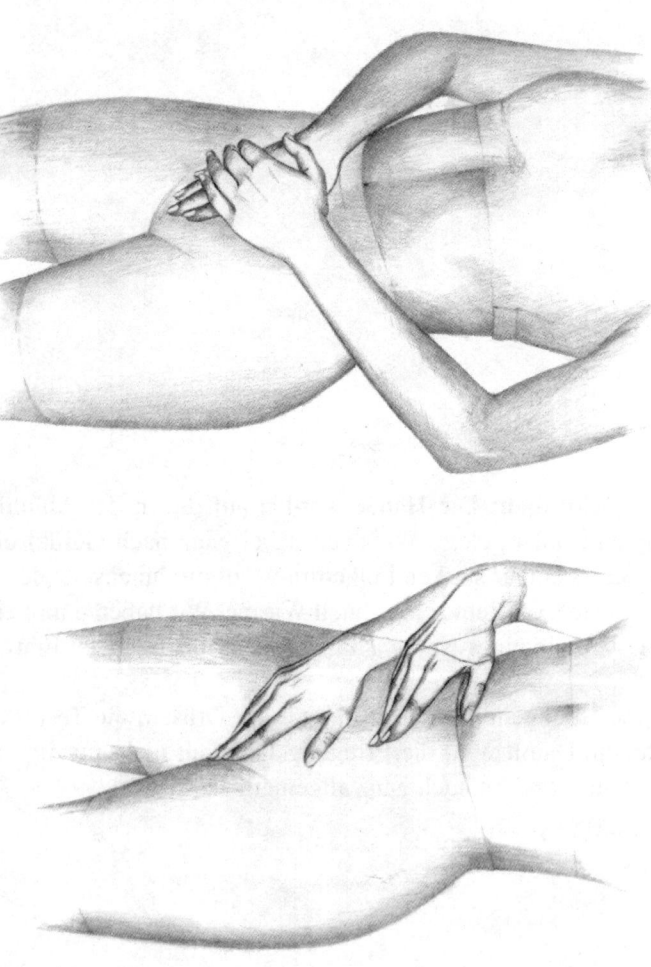

Anmerkungen: Wir nehmen nun Kontakt mit den Eierstöcken auf, die wir vielleicht noch nie, außer während der Menstruation, mit dieser Klarheit wahrgenommen haben. Sie werden durch das Handauflegen warm und sind deshalb sehr gut wahrnehmbar.

Jetzt beginnt ein interessanter Prozeß. Es zeigen sich Sekundärwirkungen wie Wangenröte und Feuchtigkeit in der Vagina. Die körperlichen Veränderungen werden psychisch von einem Bedürfnis nach Nähe begleitet, wir werden extrovertierter und offener.

Wir bewegen die Hand dann nach oben streichend über den Unterleib, dem wir nie genug fürsorgliche Aufmerksamkeit schenken können, damit er weich, flexibel und sensibel bleibt.

Es ist sehr auffällig, daß viele Frauen, die sich vom sexuellen Austausch zurückziehen, sich bald darauf Fettpolster um den Unterleib „zulegen", die einem Schutzschild gleichkommen.

Mit dieser Übung erhalten wir uns unsere jugendliche Lebendigkeit und Vitalität. Sie ist aber auch besonders für Frauen hilfreich, die keinen Geschlechtsverkehr (mehr) haben. Hier werden die positiven Auswirkungen der durch die Übung freigesetzten Östrogene sehr stark spürbar.

A 8
Mit den Fingerkuppen auf den Nabel drücken

Zur Quelle zurückkehren

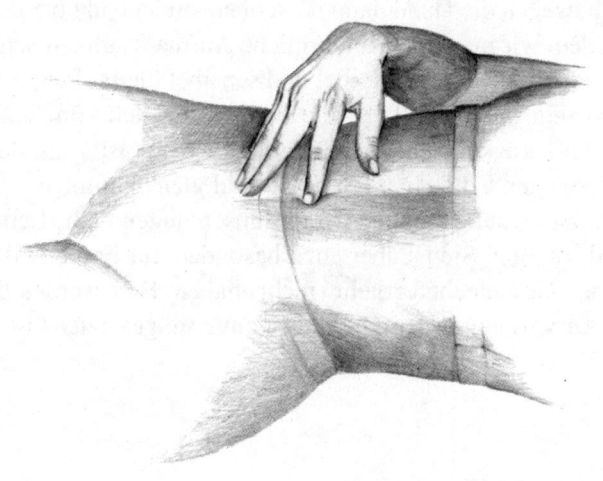

Anmerkungen: Wir vergessen oft, daß wir auch einen Nabel haben und daß wir einmal über diesen Nabel mit der Quelle unseres Lebens verbunden waren. Wir lebten in Symbiose mit der Mutter, unserem Paradies, aus dem wir mit der Geburt ausgestoßen wurden. Danach wurde die Nabelschnur durchtrennt. Es kann Momente geben, in denen es für uns einfach schön ist, in Gedanken in dieses Paradies zurückzukehren ...

Die Übung führt uns sicher zu einem intimeren Verhältnis zu unserer Mutter und zur *Großen Mutter,* unserem Planeten Erde.

A 9
Die Hände auf den Solar-Plexus legen

**Die Sonne in uns spüren und die Gefühle
unserer ersten Liebe wiederaufleben lassen**

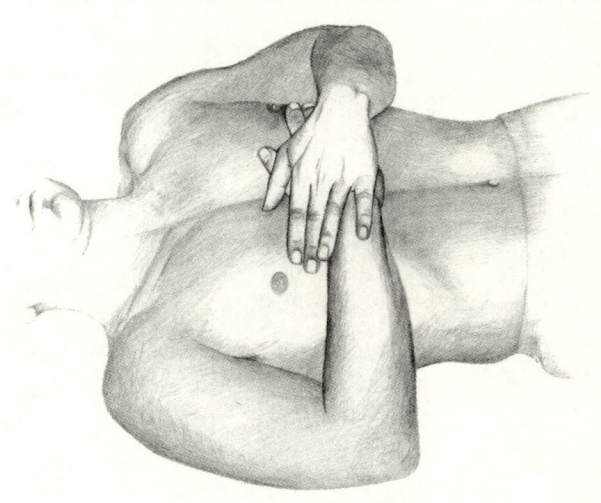

Anmerkungen: Der Solarplexus, das Sonnengeflecht, ist ein Geflecht von Nerven, das etwa eine Handbreit über unserem Nabel liegt. Die Hauptaufgabe des Sonnengeflechtes ist es, die Verdauung zu regeln (Magen, Blinddarm, Dickdarm, Leber ...).

Wir wissen, wie sehr diese Organe auf unsere Psyche reagieren. Hier interessiert uns besonders das Verhältnis zwischen Sonnengeflecht und Emotionen. Der Name Sonnengeflecht ist nicht zufällig, tatsächlich ist hier der Sitz unserer körpereigenen Sonne. Das Sonnengeflecht strahlt Wärme aus, stellt indirekt Endorphine frei, weil es für Entspannung sorgt, sobald wir unsere offene Hand auf diese Zone legen. Wir erinnern uns alle, wie uns etwa in der Zeit der ersten Liebe der „Bauch" weh getan hat. Alle starken Gefühle, sei es Freude, Angst, Furcht oder Liebe, wirken sich hier aus.

Nicht das Herz ist der Sitz der Gefühle, sondern unsere *Sonne*. Wenn wir sie durch Handauflegen erwärmen, wirkt sich das auf den ganzen Körper angenehm aus. Wenn wir den genauen Behandlungs-Punkt mit der flachen Hand erspürt haben, können wir per Fingerdruck schnell zu sehr intensiven Wahrnehmungen kommen.

A 10
Massage von Brustkorb, Brust und Brustwarzen
(Übung für Mann und Frau)

Aus dem Brustkorb fließt Wohlbehagen

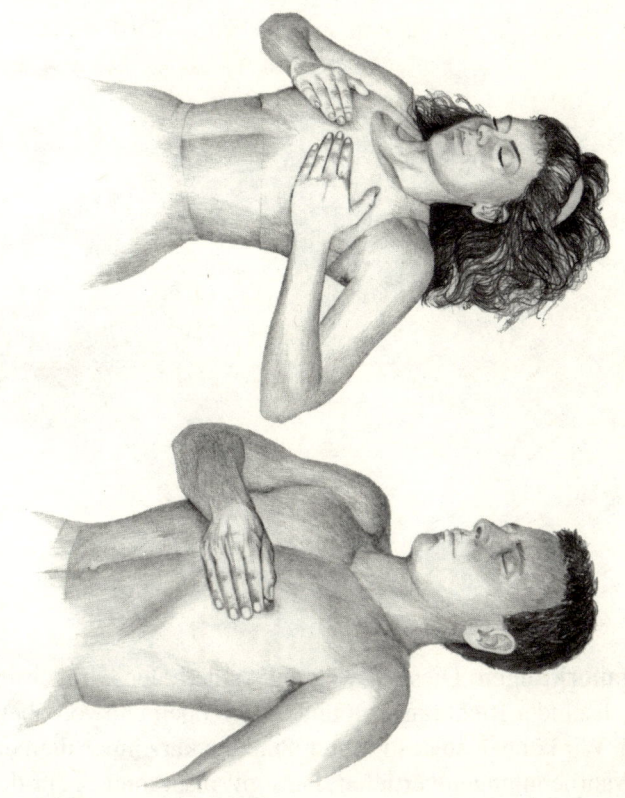

Anmerkung: Wir vergessen oft, daß in der Brust, hauptsächlich in der Brustwarze, die Empfindsamkeit des Mannes der der Frau gleichkommt. Halten wir die Hand in Schalenform über die Brust, löst das ein über den ganzen Brustkorb ausströmendes Wärmegefühl aus. Die Brustwarze reagiert beim Mann wie bei der Frau auf zartes Streicheln. Der spielerische Umgang damit erzeugt starke Wahrnehmungen, löst die Brustmuskulatur und erhöht die Sensibilität.

A 11
Mit den Fingern vom Wurzel-Chakra bis zum Stirn-Chakra streichen

Fühlen, Denken und Handeln miteinander verbinden

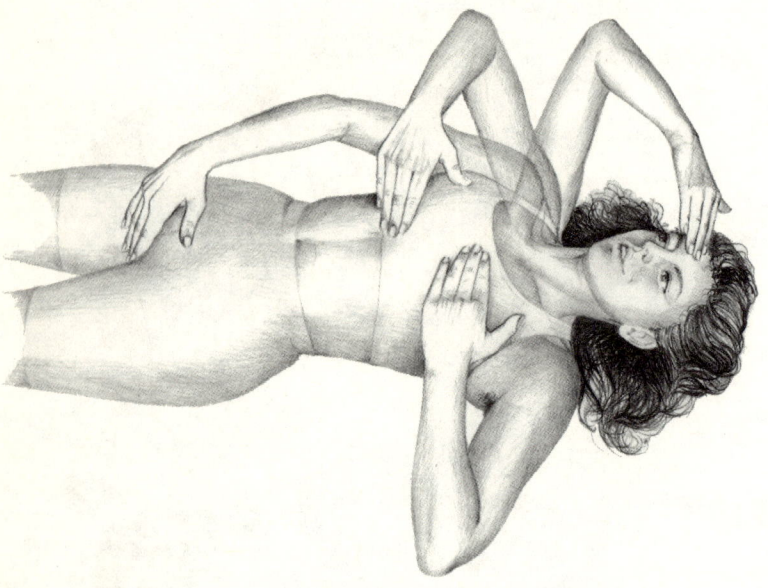

Anmerkungen: Diese Bewegung wiederholen wir mehrmals in abwechselnder Richtung, von unten nach oben und von oben nach unten. Wir können an bestimmten Punkten kurz innehalten und damit Wahrnehmungen vertiefen. Dies gilt insbesondere für den Anfangs- und Endpunkt der Bewegung. Durch die Streichbewegung werden verschiedene Körperzonen miteinander verbunden. Die von diesem Streicheln ausgehende Empfindung entspannt und kann uns einschlafen lassen. Dies geschieht leicht dann, wenn wir die Wirkung besonders stark in der Zone des Sonnengeflechts spüren.

A 12
Das Streicheln der Gesichtsmuskeln

Liebevolle Zuneigung wiedererleben

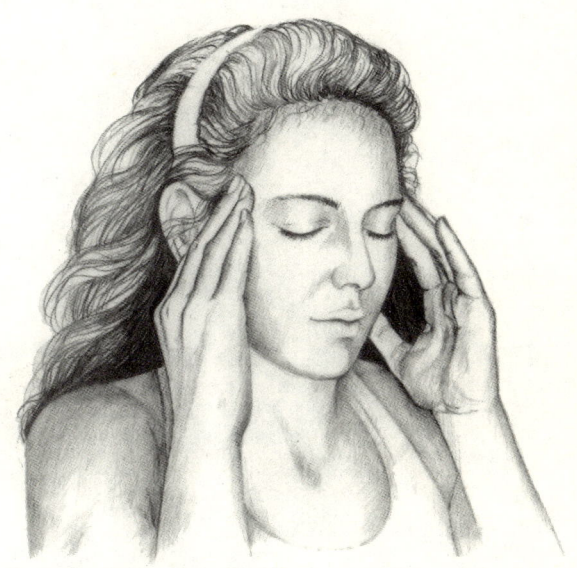

Anmerkungen: Unsere Wangen sollten schon immer der Anziehungspunkt für Liebkosungen gewesen sein. Diese Zonen laden zum Streicheln ein, über sie können wir Liebe vermitteln und den ersten Schritt zu größerer Intimität tun. Liebkosungen der Wangen lösen in fast jedem Menschen ebenso starke wie angenehme Erinnerungen aus. Zuerst war es die Hand der Mutter und des Vaters und dann die Hand eines anderen lieben Menschen, die uns streichelte.

Das Streicheln mit unserer eigenen Hand bringt diese oft vergessenen Momente wieder ans Licht. Über Phantasie und Vorstellungen entsteht das, was wir uns wünschen, das, was eine von Vertrauen, Verantwortung und Zuneigung geprägte Beziehung uns geben kann.

A 13
Mit dem Zeige- oder Mittelfinger kraftvoll auf die Stirn oberhalb der Nasenwurzel drücken

Mit der Verstandesebene Kontakt aufnehmen

Anmerkungen: Wenn es einen körperlich lokalisierbaren Zugang zu unserer Verstandesebene gibt, dann ist es das „Stirn-Chakra". Es ist die Stelle, an dem die Inderinnen einen Punkt tragen. Auf diese Stelle blicken wir, wenn wir mit der Kraft unserer Gedanken zu einem anderen Menschen „vordringen" wollen.

Der Druck sollte insbesondere anfangs kräftig sein, damit die Wirkung lange anhält. Auch einen kurzen Druck können wir noch einige Minuten lang spüren. Die Stelle kann leicht rot werden und ein wenig schmerzen. Während der Übung versuchen wir, nicht zu denken, sondern unsere Hemisphären zu visualisieren und sie in ihrem Umschalten von der einen zur anderen Gehirnhälfte wahrzunehmen. Oft reicht die Wirkung bis ins Kleinhirn.

A 14
Eine Hand unter den Kopf, die andere auf die Stirn legen

Den Verstand in den Händen halten

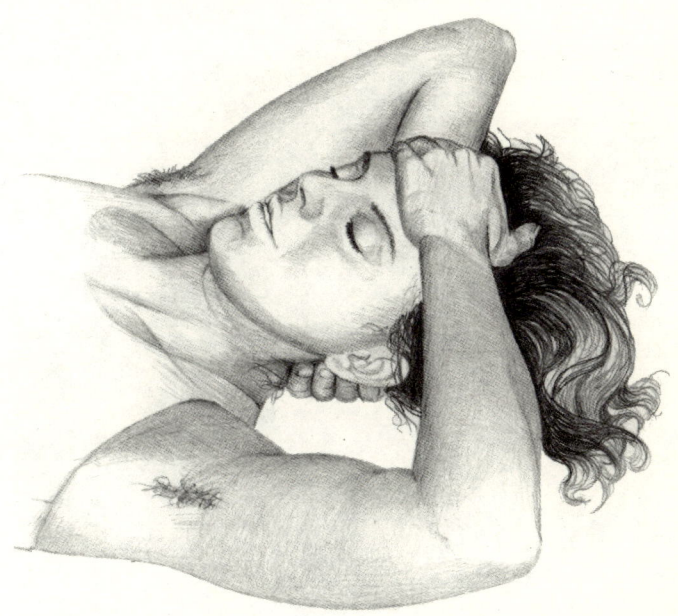

Anmerkungen: Nach dem örtlich begrenzten Druck der vorhergehenden Übung *umarmen* wir nun unseren Verstand ganz zärtlich.

Damit erreichen wir ein unmittelbares Gefühl des Beschützt- oder Behütetseins. Schließlich halten wir doch den Körperteil in unseren Händen, der uns so oft als der wichtigste erscheint. Diese Umarmung ist sehr angenehm, wir halten so eine Weile inne und genießen die aufkommenden Wahrnehmungen.

Dieser Körperteil scheint uns lebensbestimmend: Der Kopf ist gleichsam der Chef des eigenen Körpers, trotzdem *dürfen* wir ihn in unsere Hände nehmen und ihn einmal beschützen, statt von ihm beherrscht zu werden.

A 15
Mit den Fingern die Schläfen berühren,
mit den Daumen die Ohren zuhalten

Das Pulsieren der Gedanken wahrnehmen

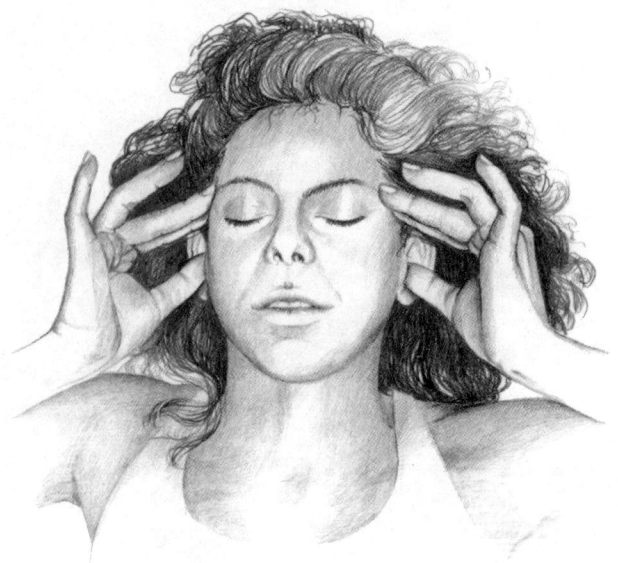

Anmerkungen: Wir schließen das Ohr, und damit dringen keine von außen kommenden Geräusche mehr in uns ein – wir können nach innen hören. Jetzt macht sich der Pulsschlag akustisch bemerkbar: Über die Finger, die an den Adern der Schläfen sanft aufliegen, erreichen wir eine körperliche Wahrnehmung des fließenden, pulsierenden Blutes. Mit Hilfe dieser Empfindung können wir uns die *Arbeit* des Gehirns vorstellen und über das Pulsieren eine Vorstellung dessen erhalten, was „drinnen" geschieht. Ob wir bewußt denken oder nicht, unsere Gehirntätigkeit ist unglaublich groß – und genau diese Tatsache wollen wir auch spüren.

A 16
Massage der Kopfhaut

Den Gedankenablauf nachempfinden

Anmerkungen: Wir massieren mit den Fingerkuppen die Kopf-haut und wecken in uns dieses angenehme Gefühl, das wir manch-mal beim Haarewaschen haben. Wirkungsvoller ist es allerdings, wenn wir an den Haaren ziehen und damit die Kopfhaut leicht „ab-heben". Die Folge ist sofort eine stärkere Durchblutung.

Wir „wachen" förmlich auf und erleben, wie sehr die Stärke der Durchblutung mit der Intensität, der Wachheit unseres Wahrneh-mungsvermögens verbunden ist. Immer, wenn uns die Müdigkeit überkommt und die Gehirnaktivität nachzulassen beginnt, können wir diese Übung anwenden, auch bei langen Autofahrten und beim Lernen beziehungsweise geistigen Arbeiten.

A 17
Die Hand zuerst auf die linke, dann auf die rechte Hemisphäre (Kopfhälfte) legen

Die Yin- und Yang-Energien aktivieren

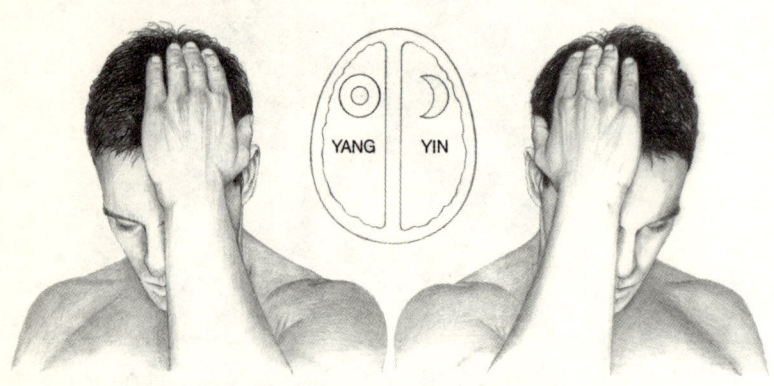

Anmerkungen: Die „Weisheit" der Natur ist faszinierend: Das Gehirn ist in zwei „autonome" Hälften geteilt, eine steuert die linke, die andere die rechte Seite des Körpers, dabei überkreuzen sich die vom Kopf zum Körper führenden Nervenstränge. Bei einer einseitigen Verletzung des Gehirns fällt deshalb nur eine Körperhälfte aus, die andere bleibt leistungsfähig. Jede Gehirnregion erfüllt besondere Aufgaben. Die linke Hälfte ist für das logische Denken, die verbale Ausdruckskraft und für den komplexen Hintergrund des sprachlichen Ausdrucks zuständig, die rechte für das Sehen, die Phantasie und so weiter bis zu unglaublich spezialisierten Aufgabenbereichen. So hat beispielsweise eine bescheidene Gruppe von etlichen Millionen Neuronen (das gesamte Gehirn verfügt über ungefähr zwölftausend Millionen Neuronen) die Aufgabe, die visuellen Eindrücke zu verarbeiten.

Für uns ist es von Bedeutung, daß eine Hälfte, und zwar die rechte, der Gefühlswelt zugeteilt ist. In ihr lokalisieren wir die Yin-Werte wie „Herz", Mond, Nacht, Unterbewußtsein. Der linken Gehirnhälfte werden traditionell Symbole wie Sonne, Aktivität, Männlichkeit, Bewußtsein, Feuer und so weiter zugeordnet.

Wir haben herausgefunden, daß die rechte Seite schmerzt, wenn uns Gefühle, wie etwa ein Liebeskummer, Sorgen, Ängste und so weiter, zu sehr belasten. Kopfschmerzen auf der linken Seite entstehen durch die intensive Beschäftigung mit intellektuellen Problemen oder Aufgaben, wie etwa beim Lösen von Problemen, Studieren und ähnlichem.

Diese Übung macht uns mit unseren Gehirnfunktionen vertrauter: Wir berühren erst die linke und dann die rechte Seite unseres Kopfes und fühlen dabei die entstehende Wärme.

B) Übungen seitlich liegend

B 1
Über Steißbein und ersten Halswirbel die ganze Wirbelsäule „zusammendrücken"

In der Wirbelsäule die Stütze des Ichs erkennen

Anmerkungen: Diese komplexe Übung erreicht erst nach einiger Zeit die gewünschte Wirkung.

Es gibt Menschen, die haben „kein Rückgrat" – im übertragenen Sinn, aber auch sonst ist ihr Verhältnis zur Wirbelsäule schlecht. Besonders an jene wendet sich diese Übung. Natürlich wäre es gut, zuvor die die Wirbelsäule umfassenden Muskeln massieren zu lassen – wie es in der Partnerübung auf Seite 132 beschrieben wird. Der Druck auf das Steißbein kann sehr schmerzhaft sein. Im allgemeinen aber wird dieser Druck wie ein warmer Stab empfunden, der sich in der Wirbelsäule nach oben bewegt. Dieses Wärmegefühl kann sich auch auf zwei oder drei Wirbel beschränken.

Die Übung ist erfolgreich, wenn wir das Gefühl haben, unsere Wirbelsäule „in den Händen zu halten". Die positive Nebenwirkung dieser Übung ist eine körperlich wie geistig sehr aufrechte Haltung.

B 2
Eine Hand im Nacken, die andere unter den Knien: Die Stirn gegen die Knie drücken

Sich sammeln, den Körper vereinen

Anmerkungen: In der Übung auf Seite 89 haben wir eine ähnliche Stellung erlebt, als wir den Körper zusammengerollt und umarmt haben. Diese Übung hier ist weniger aktiv und sollte ganz weich ausgeführt werden. Die Muskeln sind nach der Anfangsphase entspannt.

Wir lassen uns jetzt fallen und stellen uns vor, schwerelos im Wasser zu treiben. Tausend Empfindungen steigen aus dem Unterbewußtsein hoch. Es genügt, sie kurz wahrzunehmen und dann wieder loszulassen – wir müssen uns hier nicht länger mit ihnen beschäftigen.

C) Übungen auf dem Bauch liegend

C 1
Die Fesseln umfassen und die Fersen gegen das Gesäß drücken

Flexibilität üben

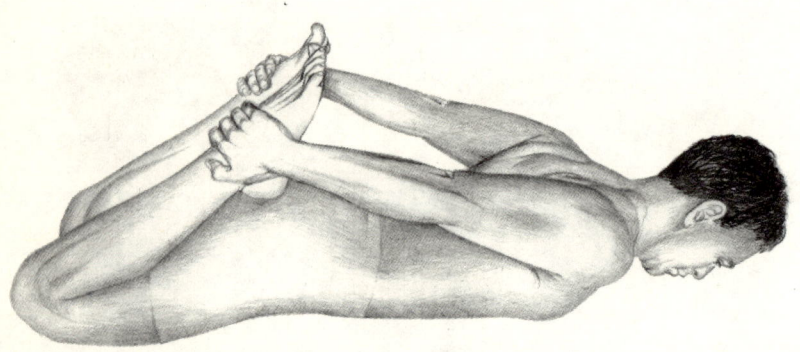

Anmerkungen: Diese Übung ist anstrengend, außerdem eine Quälerei für Leute mit sehr angespannten Muskeln. Die gesamte Körpermuskulatur wird dabei willentlich unter Spannung gesetzt – bis zur Schmerzgrenze.

Spannen und Entspannen folgen dem Atemrhythmus – eine gute Gelegenheit, den Wechsel zwischen Spannung und Entspannung ganz bewußt zu erleben. Diese Übung ist ein Kraftakt. Wer mit den Fersen die Gesäßmuskeln berühren kann, zeigt, daß er flexibel ist.

Meist sind mehrere Versuche notwendig: zuerst sind es noch dreißig, dann zwanzig, dann nur noch zehn Zentimeter zum Erfolg.

Die Gesäßbacken massieren

Die Sinnlichkeit erwecken

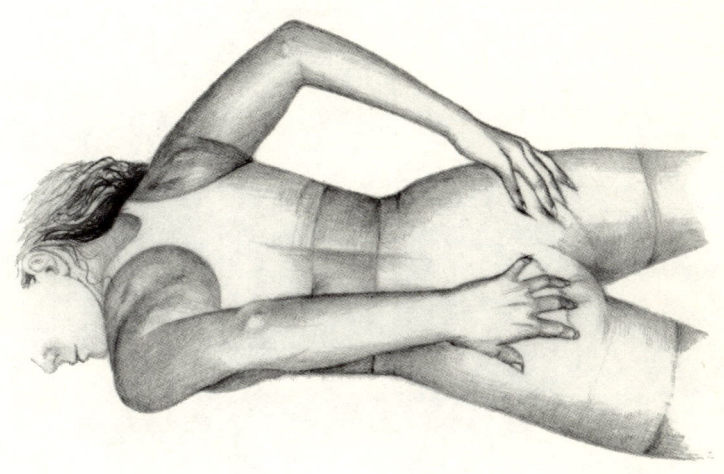

Anmerkungen: Soweit es uns möglich ist, versuchen wir, diese Übung allein durchzuführen.

Die Gesäßmuskeln müssen unser gesamtes Gewicht tragen, während wir unsere Tage zumeist sitzend verbringen. Der Blutfluß wird blockiert. Deswegen fühlen wir oft auch den Wunsch, aufzustehen und ein Paar Schritte zu gehen.

Wir können die Blockaden gut lösen, indem wir diese Muskeln berühren, kneten, wieder lebendig machen. Wir blockieren nämlich, indem wir auf dem Po nicht nur unser physisches, sondern auch unser psychisches Gewicht abladen, eine wichtige erogene Zone. Nur wenige Sekunden dieser Massage genügen, um von einem Gefühl der Schwere und Taubheit zu einem Gefühl der Elastizität und Beweglichkeit zu kommen.

C 3
Hände um die Taille legen und die Nieren streicheln

Sich der Freundschaft öffnen

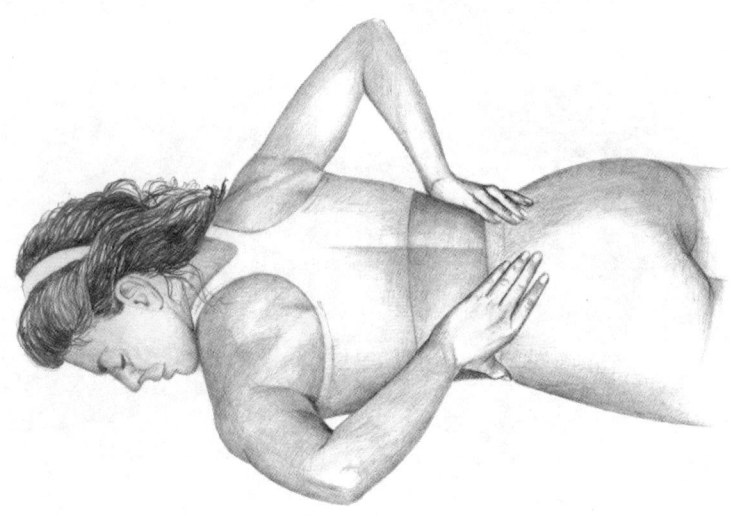

Anmerkungen: In der Symbolsprache des Körpers stehen die Nieren für unser Verhältnis zu Freundschaft und Nähe.

Diese Funktion der Nieren ist für uns wichtig; wir fühlen sie, sobald wir unsere „warmen" Hände auf die Nierengegend legen und dort verweilen – und entdecken ein oft vergessenes Organ wieder.

C 4
Den Kopf auf den Ellenbogen legen und gegen ein Kissen drücken

Das befreiende Weinen, die Katharsis

Anmerkungen: Wer nicht mehr weinen kann, kann sein Herz auch nicht mehr von einer belastenden Schwere befreien.

Im Weinen entlädt sich die Psyche – und wir fühlen uns danach freier. Wenn es schon nichts mehr gibt, worüber wir noch weinen können, fangen wir einfach damit an, uns traurige Situationen aus unserem Leben vorzustellen – bis unser Herz sich öffnet. Dann fangen die Tränen an zu fließen, der Weinkrampf schüttelt uns, und wir sind befreit.

D) Erotisierende Übungen

D 1
Die Bewegungen des sexuellen Austausches bewußt nachmachen

Den sexuellen Austausch bewußt erleben

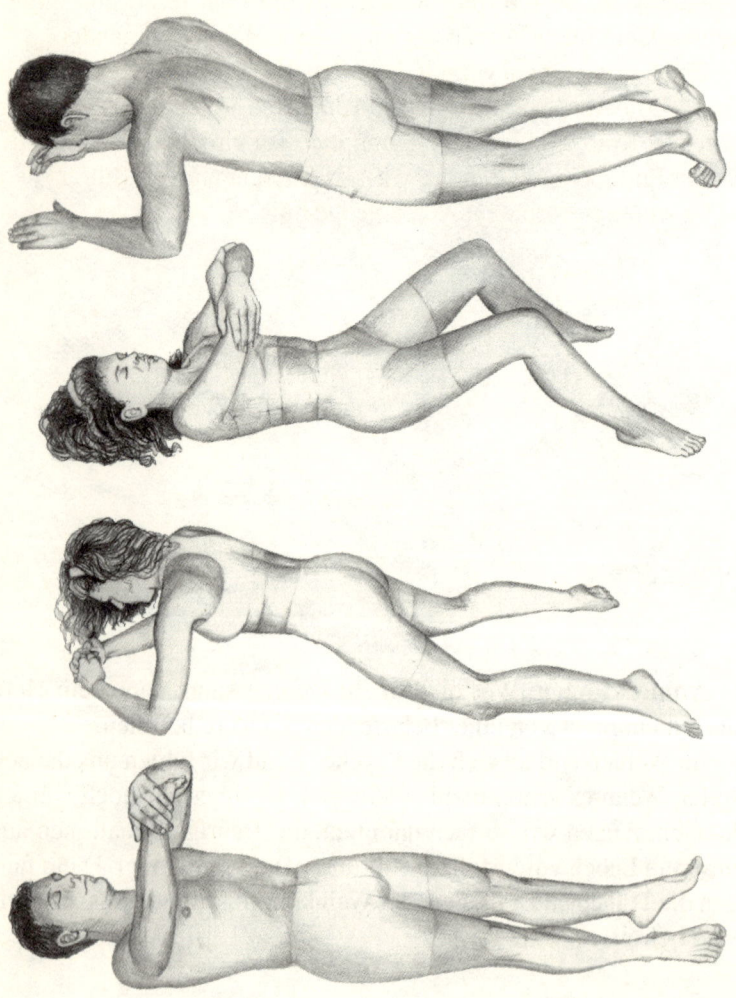

Anmerkungen: Wenn wir unsere Muskeln auf die Art bewegen, wie es im Geschlechtsverkehr geschieht, lösen wir eine Bandbreite von Assoziationen aus. Wir können in der Vorstellung den sexuellen Austausch wiedererleben. Dabei beobachten wir uns wie aus einer Distanz heraus, sehen alles ganz klar, können verstehen und uns in das Geschehen einfühlen.

Um unseren Partner zu verstehen – eine unerläßliche Voraussetzung für einen echten Austausch – machen wir auch seine Bewegungen nach. So fühlt der Mann, was die Frau fühlt, und umgekehrt. Damit intensivieren wir unser Verständnis füreinander.

Gleichzeitig setzen wir mit dieser Übung Testosteron beziehungsweise Östrogen frei, das nicht nur unseren sexuellen Aktivitäten sehr viel Kraft geben, sondern uns auch vor einer wichtigen beruflichen Entscheidung, bei der wir viel Energie und Kraft brauchen, mit wichtigen Hormonen versorgen kann.

Es ist nicht wichtig, ob wir zwei, mehrere oder alle vorgeschlagenen Übungen gemacht haben.

In jedem Fall ist es gut, nach unseren Übungen die „ausgeglichene Stellung" einzunehmen und uns damit noch mehr zu entspannen – und in Gedanken die Übungen noch einmal durchzugehen, unsere Wahrnehmungen noch einmal an uns vorbeiziehen zu lassen. Wir erinnern uns vielleicht daran, welche auslösenden Punkte am stärksten fühlbar waren.

Es ist möglich, daß sich durch die Übungen der Blutdruck etwas abgesenkt hat. Deshalb stehen wir langsam auf und kräftigen uns durch rhythmisches Anspannen und Entspannen.

Besonders angenehm ist es, wenn wir uns etwas Zeit lassen können, um wieder zu unserem gewohnten Gleichgewicht zurückzufinden. Das geschieht am besten durch eine halbe Stunde Schlaf.

Den Kontakt zwischen dem „Ich" und dem „Du" vertiefen

Übungen für Partner und Freunde

Vorbemerkungen

Die Partnerübungen sind so gestaltet, daß die Rollen ausgetauscht werden sollen, weil es wichtig ist, daß man sich auch in die Rolle des anderen einfühlen kann.

Bei den folgenden Partnerübungen ist der „Klient" – mit „Partner A" bezeichnet – passiv, entspannt sich körperlich und psychisch soweit wie möglich und arbeitet nur mit seiner Vorstellungskraft.

Der aktive Teil, die Behandlung, wird vom „Therapeuten" ausgeführt – mit „Partner B" bezeichnet.

Wenn zuvor die Einzelübungen ausgeführt werden, verstärkt sich natürlich die Wirkung der Partnerübungen.

Es ist darüber hinaus sehr hilfreich, sich nach den Übungen über die Gefühle und Erfahrungen auszutauschen.

Partner-Übersicht

1

Partner B setzt sich mit
gegrätschten Beinen zu den
Füßen von Partner A,
umfaßt seine Fesseln,
„zieht" ihn zu sich heran

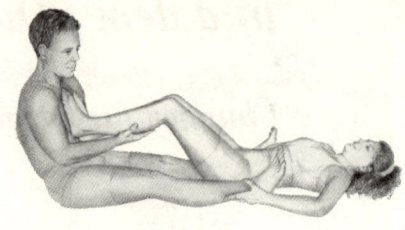

2

Partner B hebt und senkt
die Hüfte von Partner A

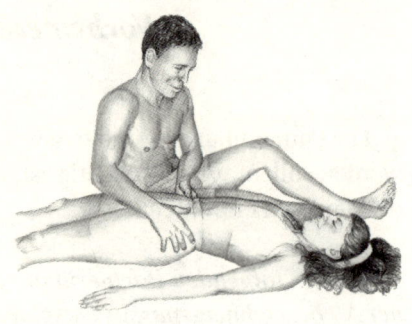

3

Partner B massiert nach
den Wünschen und Anwei-
sungen von Partner A
dessen Brust

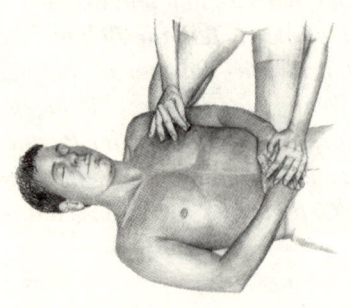

4

Partner B setzt sich mit
gespreizten Beinen an den
Kopf von Partner A, hält
die Hände unter dem
Nacken von B und nähert
dessen Kopf an die eigenen
Geschlechtsteile

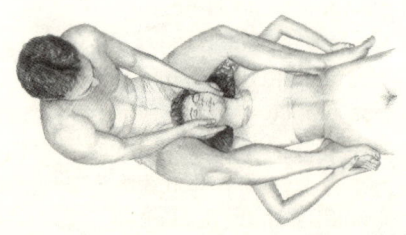

5
Übung für die Frau:
Sie liegt auf dem Rücken,
Partner B setzt sich seitlich
und legt die Hand sanft auf
die Eierstöcke

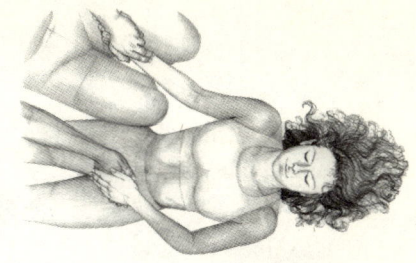

6
Übung für den Mann:
Er liegt auf dem Rücken,
Partner B setzt sich seitlich
und legt die Hand sanft auf
die Hoden

7
Partner A liegt auf dem
Rücken, B liegt oder sitzt
daneben und legt den
Unterarm auf die Linie
vom Schambein bis zur
Brustmitte

8
Partner A und B liegen
seitlich nebeneinander, das
Gesicht einander zugewen-
det, wobei A seinen Schenkel so zwischen die Beine
von B legt, daß sich die
Chakra-Linien decken

9
Partner A massiert die
Gesäßmuskeln von B und
umgekehrt

10
Partner A liegt auf dem
Bauch, Partner B sitzt
seitlich und massiert die
Wirbelsäule vom ersten
Halswirbel bis zum
Steißbein

11
Die Finger von Partner B
ertasten den ersten Hals-
wirbel und drücken ihn
sanft nach unten, gleichzeitig drückt der Zeigefinger
der anderen Hand auf den
Fortsatz des Steißbeins in
Kopfrichtung und „drückt"
die Wirbelsäule zusammen

12
Partner A sitzt mit geöffne-
ten Beinen, Partner B lehnt
sich, zart umschlungen,
gegen seine Brust

Partnerübungen

1

Partner B setzt sich vor die Füße von A, umfaßt dessen Fesseln und zieht den Körper von A zu sich heran, um dann die Füße an seine Leiste zu legen. Die Hand von Partner B kann den Fuß von A umfassen und die Fußsohle massieren. Anschließend fährt die Hand mit leichtem Streicheln auf der Innenseite der Beine von A entlang, vom Knöchel bis zur Leiste.

Auf der Innenseite der Schenkel befinden sich viele auslösende Punkte (beim Mann u. a. der Punkt, von dem die Nerven zu den Hoden führen). Partner B versucht nun aufgrund der Angaben von A diese Punkte zu lokalisieren, um sie dann abwechselnd mit leichtem bis sehr leichtem Druck zu streicheln.

Eine interessante Variante: Die Fußsohlen von A in Kontakt mit der Brust von B bringen und die Wahrnehmungen beobachten.

Sich annähern, Kontakt aufnehmen

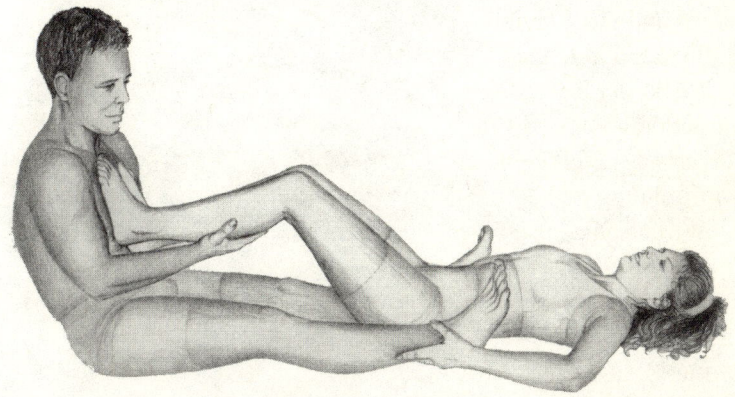

Anmerkungen: Fußsohle gegen Brust ist nur anscheinend eine sonderbare Art der Begegnung. Tatsächlich treffen hier zwei verschiedene Körperzonen aufeinander und verursachen bisher unbekannte Empfindungen, damit steigert sich die Intimität und Körper und Seele nähern sich einander.

Partner B setzt sich an die Seite von A und umfaßt mit den Händen das Becken und hebt und senkt es mehrmals in einem angenehmen Rhythmus. Beide führen die Übung auf dem Bauch und auf dem Rücken liegend aus. Die Yang-Bewegung ist ein starkes rhythmisches Drücken des Beckens nach unten. Die Yin-Bewegung ist ein sanftes Heben des Beckens, ein Sich-öffnen gegenüber dem Partner.

Yin und Yang, Geben und Nehmen fühlen

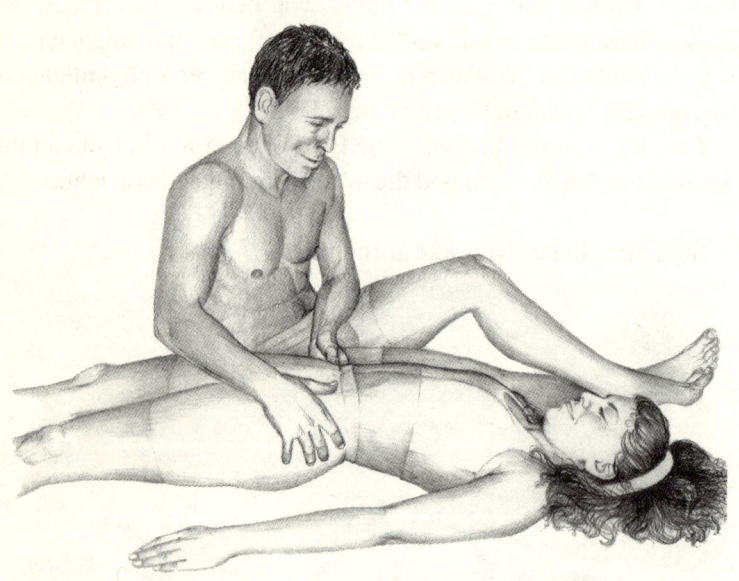

Anmerkungen: Es handelt sich offensichtlich um Bewegungen, die für den sexuellen Austausch typisch sind, die Übung wird jedoch bewußt ohne erotisierende Gedanken ausgeführt. Der Mann fühlt, was die Frau fühlt, und umgekehrt. Obwohl die Empfindungen stark sind, erleben wir alles nur auf einer rein geistigen Ebene.

3

Partner B massiert die Brust von A und hält sich dabei an dessen Wünsche und Anweisungen. Wir sollten daran denken, daß die männliche Brust, leicht berührt, sehr sensibel wird. Die „Massage" kann auch darin bestehen, daß man die Hand in Form eines Kelches auf die Brust auflegt.

Natürlich erfordert der Wunsch nach einem Berühren der Brustwarze eine besondere Offenheit für diese Empfindungen sowie ein sanftes Vorgehen des Behandelnden.

**Die einfache Art, die Wünsche des Partners
verstehen zu lernen**

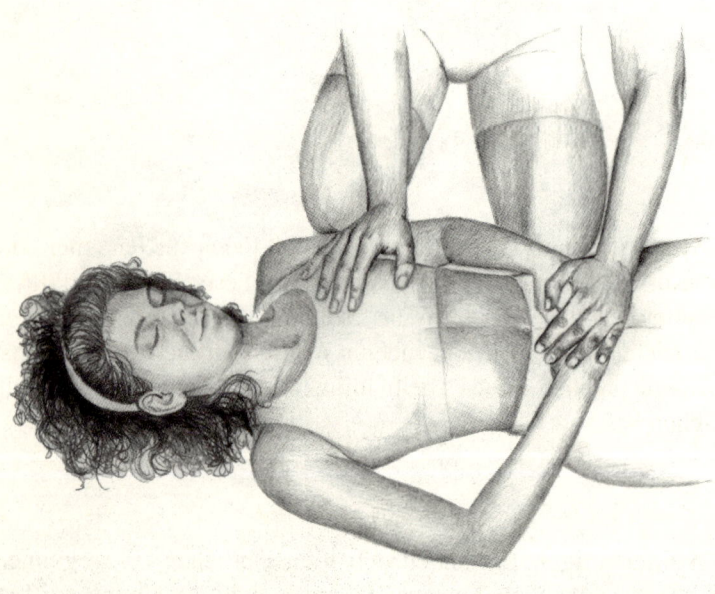

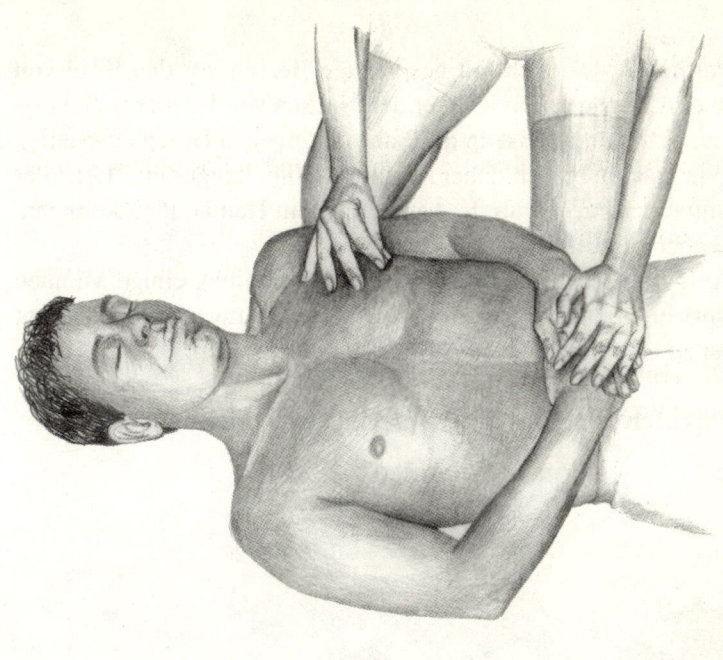

Anmerkungen: Diese Übung empfiehlt sich für Personen, die den Körper des anderen nicht kennen. In dieser Situation fällt es meist leichter, persönliche Wünsche auszudrücken, aber vor allem ist es leichter, den einen oder anderen Wunsch wirklich leidenschaftslos áuszusprechen – wie es beim intimen sexuellen Austausch nicht möglich ist.

4

Partner B setzt sich mit gespreizten Beinen vor den Kopf von
Partner A, legt die Hände unter den Nacken von Partner B und legt
ihn an beziehungsweise in die Nähe der eigenen Geschlechtsteile.

Wie nahe man sich dabei kommen sollte, hängt vom Grad der
Intimität der Partner ab. Es kann zu einem Hautkontakt kommen,
muß aber keinesfalls.

Aufgabe dieser Übung ist es, in dieser Stellung einige Minuten
zu verweilen, ohne dabei erotische Gefühle zu wecken. Es kommt
dabei zu einem intensiven Austausch der Energien.

Das „Ich" und das „Du" verschmelzen miteinander

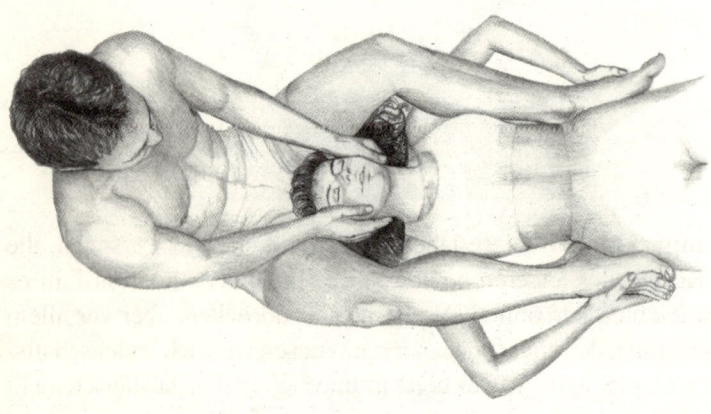

Anmerkungen: Es handelt sich sicher um eine sehr intime Stellung, aber maßgebend ist unsere psychische Einstellung. Auch hier
vermeiden wir erotisierende Gefühle. Dadurch kommt es zu einem
intensiv-fühlbaren energetischen Austausch.

5

Eine Übung speziell für die Frau: Sie liegt auf dem Rücken, B setzt sich an ihre Seite und legt die Hand sanft auf die Eierstöcke, wobei die Handkante auf das Schambein drückt. Die Eierstöcke machen sich bemerkbar, indem sie Wärme ausstrahlen.

Freisetzen vitaler Hormone bei der Frau

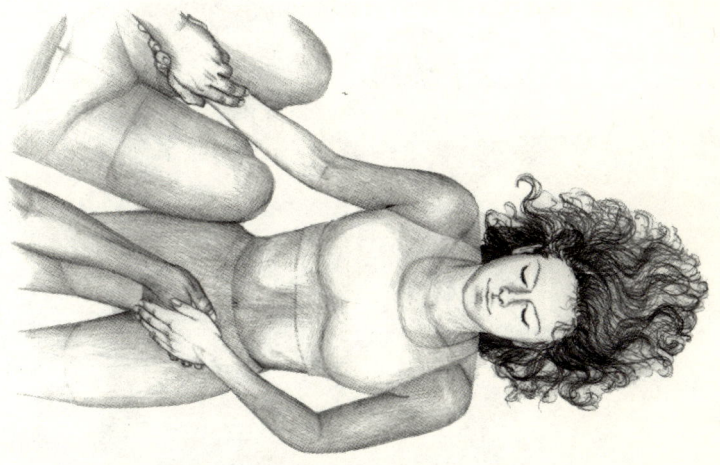

Anmerkungen: Die Empfindungen werden stärker, wenn beide Hände übereinanderliegen, die des Partners B und ihre. Der Zufluß von Blut in diese Zone, für die Frau von zentraler Bedeutung, ist sehr stark. Der Partner A bleibt passiv und kann beobachten, wie sich der Ausdruck von Weiblichkeit besonders in ihrem Gesicht intensiviert.

Eine Übung speziell für den Mann: Er liegt auf dem Rücken, Partner B setzt sich an seine Seite und legt die Hand sanft auf die Hoden. Das Übereinanderlegen der Hände von Partner A und B kann die Wirkung steigern. Anschließend üben die Finger des Partners A einen ganz sanften Druck auf die Innenseite seiner Oberschenkel aus.

Freisetzen vitaler Hormone beim Mann

Anmerkungen: Hier wird die Einwirkung durch das Freisetzen von Hormonen offensichtlich. Die Übung kann eine erotisierende Auswirkung haben – muß es aber nicht. Die vitalen Hormone sind ebenso für die kraftvolle Visualisationsvermögen wie für die eigene Leistung wesentlich.

7

Partner A liegt auf dem Rücken, Partner B liegt oder sitzt daneben, in einer Stellung, die es erlaubt, den Unterarm auf die gesamte Linie vom Schambein bis zur oberen Brustmitte zu legen.

Von Anspannung über Entspannung zur Ruhe gelangen

Anmerkungen: Der aufliegende Arm berührt gleichzeitig die gesamten Energiezentren längs der Mittellinie von Bauch und Brust. Partner A spürt Müdigkeit aufkommen, deshalb ist diese Übung bei Einschlafschwierigkeiten ganz ideal – besonders, wenn man einen liebevoll hilfsbereiten Partner neben sich hat.

8

Die Partner A und B liegen seitlich nebeneinander, schauen sich in die Augen und sprechen miteinander, während sich ihre Hände streicheln. Partner A legt dabei seinen Schenkel so zwischen die Beine von Partner B, daß sich die Energielinien decken.

Dabei entsteht ein intensivster Körperkontakt, ein idealer Ausgangspunkt für einen angenehmen, gleichermaßen durch Körper und Geist vertieften Dialog. Bei dieser Position kommt es zu einem Austausch zwischen den Chakren der Partner – Wurzel-, Herz- und Stirn-Chakra liegen dabei gegenüber.

**Intimität: Kontakt zwischen Geist (Dialog), „Herz"
(Gefühle) und Sexualzonen (Triebe)**

Anmerkungen: Auf diese Weise wird der Dialog durch einen sehr intensiven Körperkontakt vertieft. Über einen Handkontakt werden die Gefühle mitgeteilt, über die Schenkel die Triebempfindungen. Die Partner sind so gleichzeitig mit den drei Schichten der Persönlichkeit, Geist, Gefühle und Triebe verbunden.

9
Die kraftvolle Massage der Gesäßmuskeln

Die Sinnlichkeit wiederbeleben

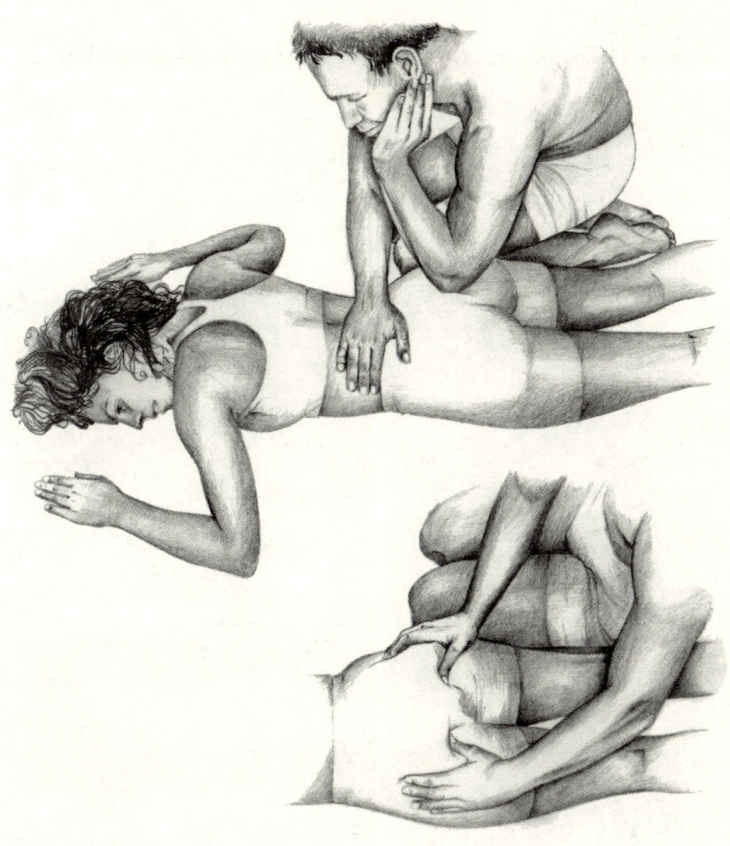

Anmerkungen: Über keinen anderen Körperteil ist es möglich, den anderen auf sinnlichere, angenehmere Weise zu erleben. Es entsteht ein nicht-erotischer Körperkontakt.

Vergessen wir nicht die versteckte Sinnlichkeit dieser Zone.

Partner A liegt auf dem Bauch, Partner B sitzt an seiner Seite und massiert die Wirbelsäule vom ersten Halswirbel bis zum Steißbein und wieder hinauf und wiederholt die Behandlung, indem er von einer anfänglichen Knetbewegung zu einer leichten Streichelbewegung (sobald die Wirbelsäule „sensibilisiert" ist) übergeht.

Die Wirbelsäule als den Halt der Persönlichkeit fühlen ...

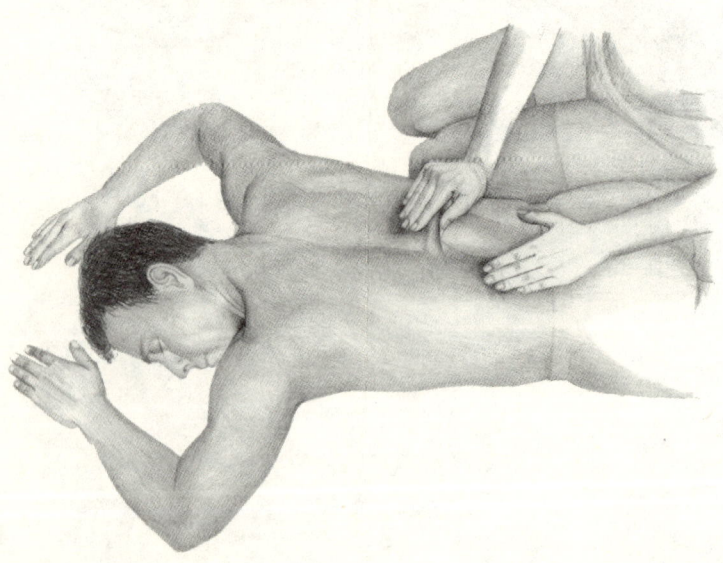

Anmerkungen: Durch diese Massage wecken wir die Wahrnehmungen der Wirbelsäule als Halt der eigenen Persönlichkeit. Die psychische Wirkung ist anhaltend, und die Körperhaltung verbessert sich.

Die Finger von Partner B ertasten den ersten Halswirbel von Partner A und drücken ihn sanft nach unten; gleichzeitig drückt der Zeigefinger der anderen Hand (Achtung: es kann für manche sehr schmerzhaft sein, doch der Druck sollte so stark wie möglich sein) auf den unteren Fortsatz des Steißbeins in Kopfrichtung.

... und dein Ich ist in meinen Händen

Anmerkungen: Es ist leicht, sich mit der eigenen Wirbelsäule zu identifizieren, wenn sie an den zwei extremen Punkten angefaßt und komprimiert wird, so wird sie zu einem Stück, elastisch, flexibel, weich. Man empfindet einen Fluß von Energie vom Körper zum Kopf/Geist.

In diesem Austausch von Haltgeben und Sichanlehnen sind beide Partner zugleich aktiv und passiv, verschmelzen miteinander. Die weiche Brustvorderseite kommt mit dem harten Rücken in Kontakt.

Sich an den Stamm anlehnen

Anmerkungen: Es gibt sonst wenige Möglichkeiten, in denen wir einen Kontakt dieser Art formen können. Hier spielen Hingabe und Haltgeben und zugleich Umarmen und Schutzgewähren zusammen.

Den Kontakt zur menschlichen Umwelt fühlen

Eine Übung,
die man in der Gruppe machen kann

Einführung

Eine Person liegt auf dem Rücken und die anderen gruppieren sich im Kreis um sie herum. Nun beginnt die Übung, bei der die verschiedensten Variationen möglich sind.

Der am Kopfende Sitzende kann die Kopfhaut massieren oder die Stellung 6 oder 4 und so weiter einnehmen.

Ebensoviele Möglichkeiten der Berührung bieten sich für den oder die an der Seite Sitzenden. Sie behandeln die Gegend von der Leiste bis zum Knie.

Wer am Fußende sitzt, behandelt Knöchel und Fußsohle. Die seitlich Gegenübersitzenden führen eine Variante des vis-à-vis Sitzenden durch.

Nach etwa 10 Minuten wechselt der am Kopfende Sitzende mit dem in der Mitte Liegenden; die anderen versetzen sich im Uhrzeigersinn.

Die Übung

Das „Ich" im Mittelpunkt,
ein Erleben der intimen Nähe

Anmerkungen: Die Gruppenübung ist bei allen Kontaktproblemen besonders wertvoll. Dies ist für die verschiedensten Gruppensituationen eine gute Gelegenheit, die Mauer des Abstandes in zwischenmenschlichen Beziehungen zu durchbrechen.

Wir lernen bald,
– daß Kontaktaufnehmen vor allem angenehm ist und
– daß es noch angenehmer ist, von vielen Händen, die warm und liebevoll sind, „verwöhnt zu werden". Dies ergibt ein Gefühl des Verstandenwerdens und der persönlichen Wertschätzung.
– daß sich die anderen für Sie – als Mitte einer Gefühlswelt – interessieren,
– daß der Hautkontakt die intensivste Mitteilung ist,
– daß das Wohlbefinden wirklich handgreiflich nahe ist.

Zum Abschluß:
Wandel ist Wachstum

Auch wenn unser „Ich" gewissermaßen eine stabile Einheit von Körper und Geist ist, dürfen wir nicht vergessen, daß für seine Entwicklung Wandlung notwendig ist – entsprechend den Aufgaben, die uns das Leben stellt, und den Zielen, die wir uns vorgeben.

Ein immerwährender Prozeß, so natürlich wie das Wachstum in der Natur. Eine Pflanze oder ein Baum blockieren ihr Wachstum auch nicht aus Angst vor dem mit Sicherheit einmal aufkommenden Gewitter, aus Angst vor Blitz und Donner. Sie stärken einfach ihre Wurzeln und halten sich flexibel.

Um diese unumgängliche Wandelbarkeit bei uns bewußt wahrzunehmen, sollten wir eine ganz einfache Bestandsaufnahme unseres Jetzt-Zustandes anfertigen – sozusagen als Ausgangspunkt. Diese Aufzeichnungen – sie müssen nicht lang, aber klar und präzise formuliert sein – ergänzen wir allmählich um unsere Erfahrungen während und nach den Übungen. Sie werden uns dabei helfen, unsere persönliche Entwicklung und Entfaltung zu erkennen und zu verfolgen. Damit können wir uns schon nach kurzer Zeit an unserem Fortschritt freuen und die Erfolgserlebnisse genießen.

Grundsätzlich sollte das wichtigste Ziel immer unser Wohlbefinden sein, das sich aus der Verwirklichung unserer ganz persönlichen Möglichkeiten ergibt. Alle anderen Ziele sind die für das Erreichen unseres großen Ziels notwendigen kleinen Veränderungen, etwa unsere Haltung, unsere Einstellung, unsere zwischenmenschlichen Beziehungen und die zur Gestaltung unseres Tagesablaufes notwendigen Entscheidungen

Die Übungen können uns helfen, einzelne Schwachstellen zu stärken oder Störendes zu verändern.

Wenn wir meinen, daß es uns an Haltung, an Rückgrat fehlt, werden wir mit der Arbeit an der Wirbelsäule den besten Erfolg haben und sie bald wieder als stark empfinden. Aus einer gebückten, nach vorn geneigten Haltung wird eine aufrechte (die Übungen auf den Seiten 108, 132 und 133).

Neue Energie und Vitalität geben uns die Übungen auf den Seiten 92, 93, 94 und 114, 122, 127 und 128.

Bei Niedergeschlagenheit oder Depression sind die Übungen auf den Seiten 121, 122, 127, 128 und 134 besonders hilfreich, außerdem die Gruppenübung auf Seite 136.

Der tiefere Sinn der Übungen ist jedoch, in der eigenen Entfaltung den Wendepunkt zu erreichen, um dann den Weg zum heilen „Ich" zu gehen. Dies geschieht, wenn wir weg von den Extremen Kopf-Körper zur eigentlichen Mitte finden, wenn unser „Ich" den freien Raum für die eigene Entwicklung gefunden hat, sich selbst erkennt und den eigenen Weg geht.

Wir befreien uns, indem wir lernen, auf unsere Empfindungen zu hören, und beginnen, unser „Herz" als die psychische Mitte zu fühlen.

Das, was wir Ihnen mit diesem Buch geben möchten, könnte man auch als esoterisch bezeichnen, was so viel bedeutet wie „die vertrauensvolle, persönlich-intime Mitteilung des *Erfahrenen* an seine Schüler und Freunde". Sie können unsere Gedanken und Kenntnisse – dank der konstruktiven und inspirierenden Unterstützung unserer Verlegerin Monika Jünemann – eben mit diesem Buch jetzt auch für sich zu Hause verinnerlichen, ausprobieren und genießen.

Ich bin für einen Erfahrungsaustausch sehr offen, und lade Sie deshalb herzlich ein, mir Ihre Erfahrungen mit den Übungen mitzuteilen (Adresse siehe Seite 141). Soweit wie möglich werde ich Ihnen persönlich antworten, sicher aber mit Ergänzungen zu den hier gemachten Vorschlägen. Auch die Übungen – so wie sie hier vorgestellt werden – sind mit Unterstützung des gedanklichen Austauschs mit meinen Freunden und Arbeitsgruppen entstanden.

Hier sind nur einige Beispiele, die zeigen, wie tiefgehend die Veränderungen sind, die durch die Übungen ausgelöst werden.

Anna, 32 Jahre alt, im gesamten Gefühlsausdruck gehemmt: „.... als die Finger das Sonnengeflecht berührten, fühlte es sich an, als ob sie in mich eindringen würden, und gleichzeitig spürte ich, wie sich die Brust- und Unterleibsmuskulatur löste, ich hatte das Gefühl, mich weit zu öffnen, endlich offen sein zu können ..." (Übungen auf den Seiten 97 und 100).

Karolina, 26 Jahre alt, in den vororgastischen Empfindungen

gehemmt: „... die einfach nicht-erotisch betrachteten Empfindungen der Übungen auf den Seiten 126,127, 129 und 130 führten mich in einen Zustand der gedankenfreien Entspannung, wie ich sie während des sexuellen Austauschs nie erreichen konnte und die einem psychischen Orgasmus gleichkamen."

Michael, 27 Jahre alt: „Es ist mein Ziel, Dirigent zu werden, aber ... ich bin ein angstvoller Mensch, mein vegetatives Nervensystem ist hochsensibel, ich achte andauernd auf mein Herz, jede sonderbare Wahrnehmung erregt mich, bringt mich in einen Alarmzustand ... bald darauf beginnt mein Herz zu rasen ... und ich frage mich, ob dies ein Hinweis meines Körpers ist, meine zu große Zielsetzung aufzugeben." Und er stellt nach zwei Wochen fest: „In diesen Tagen mache ich die Entspannungsübungen auf den Seiten 66, 99, 124 und 129 entweder allein, oder ich lasse mir von Theresa helfen. Noch habe ich nicht den vollen Kontakt zum Körper gefunden, aber die Übungen sind sowohl angenehm als auch entspannend. Am angenehmsten empfinde ich es, wenn Theresa meine Fußsohlen massiert und die Knöchel umfaßt. Ich finde so den Kontakt zur Erde und spüre Selbstsicherheit ... nun beginne ich auch, mein bislang gefürchtetes Herz als „Freund" zu sehen, meine Angst nimmt ab, ich kann es wahrnehmen, ohne in Panik zu geraten."

Über den Autor und seine Arbeit

Franz Benedikter ist Doktor der Philosophie. Er hat eine Praxis in der Nähe von Rom. Hier vermittelt er seinen Klienten, wie sie durch Berührungstherapie mit der „Endogenen Induktion" den positiven Kontakt zu ihrem Körper wiederherstellen und vertiefen können, und so die bestmögliche hormonelle Basis für ein gesundes, glückliches und befreites Leben schaffen.

Seine Praxisräume sind so konzipiert, daß sie die „Therapie" in bestmöglicher Weise fördern. Der Raum für die Gesprächstherapie ist ein Kuppelbau, dessen räumliche Ausstrahlung die Öffnung des Geistes positiv unterstützt. Der Übungsraum für Einzelpersonen, Paare und Gruppen strahlt Wärme, Weichheit und Erdung aus. Dieser Raum unterstützt die Wahrnehmung des eigenen körperlichen Raumes und die „Erdung" der Menschen, die hier an sich arbeiten.

Gesprächsraum „Tempietto"

Übungsraum „Tempio"

Adressen

Wer mit Franz Benedikter Kontakt aufnehmen möchte oder sich für eine Ausbildung in der „Endogenen Induktion" interessiert, schreibt mit einem adressierten und frankierten Rückumschlag (DM 2,00 Porto bzw. einen internationalen Antwortschein beilegen), an den Verlag. Ihre persönlichen Briefe an den Autor leiten wir gerne weiter. Bitte das Stichwort nicht vergessen.

Windpferd Verlag
Stichwort: „Die Psyche streicheln"
Postfach
D-87648 Aitrang

Literaturtips

Abrezol, Dr. Raymond, *Bewußt Heilen mit Sophrologie*, Irisiana/Hugendubel, München 1985. Eine echte Alternative zur reinen Symptombehandlung, es zeigt die ganzheitliche Behandlung des Menschen auf und geht im besonderen auf die Zusammenhänge zwischen physischem und psychischem Bereich ein.

Baginski, Bodo J. und Sharamon, Shalila, *Das Chakra-Handbuch*, Windpferd, Aitrang, 1989. Eine exzellente Darstellung der feinstofflichen Energiezentren im menschlichen Körper. Unverzichtbare Grundlage für jede spirituelle Körperarbeit. Dazu gibt es die Entspannungsmusik *Chakra-Meditation* als MC und CD, Windpferd Verlag, Aitrang 1990.

Baginski, Bodo J. und Sharamon, Shalila, *Einverstandensein*, Windpferd, Aitrang 1994. Ein Buch über die Erlösung des Schattens. Es beschreibt, wie man zur wirklichen Heilung und zur Entfaltung seines gesamten Potentials kommen kann.

Koch, Werner, *Das Atem-Heilbuch*, Windpferd, Aitrang, 1994. Behandelt das Thema sehr umfassend und erhält viele spirituelle Atemübungen zur Intensivierung des Lebensgefühls.

Lübeck, Walter, *Handbuch des spirituellen NLP*, Windpferd, Aitrang, 1994. Ein ausgezeichnetes Buch über eine ganz neue Technik. Es zeigt, wie eine neue Lebendigkeit entsteht, indem geistige Brücken Herz und Verstand verbinden.

Dychtwald, Ken, *Das Körperbuch*, Bodymind Verlag, Berlin 1978. Ein umfassendes Buch über das Körperbewußtsein und die Symbolik der Körpersprache. Dieses Buch wird für jeden wichtig sein, der seinen Körper auf eine andere und intensivere Weise wahrnehmen will.

Erhardt, Ute, *Gute Mädchen kommen in den Himmel, böse überall hin*, Krüger/Fischer, Frankfurt 1994. Warum Bravsein uns nicht weiterbringt. Zeigt Denkfallen auf, die Frauen das Leben schwer machen und weist souveräne Wege, die aus diesen destruktiven Mustern herausführen. Lösung statt Lamento.

Hetherington, Cheryl, *Nie mehr abhängig sein.* Windpferd, Aitrang, 1994. Hier kann man Grundlegendes über destruktive Beziehungsmuster lernen – und wie man sie leicht erkennen und dann verändern kann.

Maxwell-Hudson, Claire, *Das große Handbuch der Massage*, Weltbild Verlag, Augsburg 1993. Gibt sehr leicht verständliche Anleitungen zum Erlernen der wichtigsten Massagetechniken. Sehr schön illustriert.

Merlin's Magic, *Reiki Musik* und *Reiki – The Light Touch*, Windpferd, Aitrang, 1993/94. Eine für jede Art von Entspannung, Massage oder Meditation hervorragend geeignete Entspannungsmusik mit heilender Wirkung.

Schütz/Rothschuh, *Bau und Funktion des mensschlichen Körpers*, München 1979. Eine komplette Anatomie und Physiologie des Menschen. Geschrieben für medizinische Assistenzberufe, und deshalb auch für Laien gut lesbar.

Watzlawick, Paul, *Anleitung zum Unglücklichsein*, Pieper, München 1983. Eine amüsante Lektüre für Leute, die sich das Leben gerne schwer machen, ohne zu wissen, wie sie das eigentlich anstellen. Lesevergnügen mit paradoxem Effekt.

Wellmann, Jutta und Wormer, Dr. med. E.J., *Hormone, Luststoffe des Körpers*, Südwest Verlag, München 1994. Sehr leicht verständliches und nett illustriertes Buch über die verborgene Kraft der körpereigenen Hormone.

Christa Kössner

Handbuch für Singles, die es nicht länger bleiben wollen

Der erfolgreiche Weg, Zufriedenheit und Glück in einer von Liebe, Vertrauen und Verständnis geprägten Partnerschaft zu finden

Die Chance, Single zu sein oder Single zu werden, ist heute größer denn je. Auf dem Land wird schon jede dritte Ehe geschieden, in der Stadt jede zweite. Viele bleiben Single – die meisten unfreiwillig. Für diese wachsende Gruppe hat Christa Kössner dieses Buch geschrieben. Von der Single-Typologie über Single-Verhaltens-Symptome wie Fehlprogramme, Maskenspiele und Unnahbarkeits-Blockaden findet der Single hier ein Repertoire von verschiedensten Spiegelbildern, in denen er sich wiederfinden, woran er arbeiten und sich entwickeln kann.
208 Seiten, DM/sFr 29,80/
öS 233,00, ISBN 3-89385-152-6

Dr. John Grey, Bonney Meyer

Gute Karten für die Liebe

Ein inspirierendes Karten-Set für Klarheit, Glück und Erfüllung in Beziehungen und Partnerschaften

Mit „Gute Karten für die Liebe" können wir mehr Klarheit in unsere Beziehungen bringen und konstruktiv handeln. Das Karten-Set ist eine Quelle der Weisheit und ein liebevoller Führer, der uns hilft, die Art von Beziehung zu schaffen, die wir wirklich wollen – ob es sich nun um persönliche, freundschaftliche oder geschäftliche Beziehungen handelt.
Die Karten zeigen, was uns im Moment zu unserem Glück fehlt und welche anderen konstruktiven Alternativen es gibt – damit wir uns wieder wohl fühlen können. Das Buch enthält einen Kommentar zu jeder Karte und zeigt, wie man sie benutzt.
160 Seiten und 64 Karten
DM/sFr 49,80/öS 389,00

Walter Lübeck

LEA –
Lebensenergiearbeit

**Die Grundlagen der feinstoffli-
chen Lebensenergiearbeit verstehen und kreativ einsetzen
Das Handbuch zur persönlichen
und globalen Heilung**

LEA – Lebensenergiearbeit – das
sind alle Methoden, die mit der
Wahrnehmung und Beeinflussung
feinstofflicher Kräfte arbeiten, die
Spiritualität auf praktische Art und
Weise in unser Leben integrieren
und natürliche Fülle und Harmonie
verbreiten. Noch nirgends sonst
wurden die Lebensenergien, mit
denen spirituelle Systeme arbeiten,
so ausführlich und differenziert dargestellt sowie praktische Anleitungen gegeben. Auch auf mögliche
Probleme bei falscher Anwendung
von Lebensenergie wird eingegangen, ebenso auf Visualisierung,
Farbenergieheilung, Atemarbeit
und Rituale.
272 Seiten, DM/sFr 24,80/
öS194,00, ISBN 3-89385-154-2

Werner Koch

Die Kraft der Visionen

**Mit der Kraft der Vorstellung
neue Ziele stecken, Wünsche
realisieren, Energie freisetzen
und dem Leben entscheidende
Wendungen geben
Neue Perspektiven und Horizon-
te entdecken**

Visionen sind Energiequellen, die
unseren Handlungen Richtung und
Sinn geben. Sie führen uns aus
Gewohnheiten heraus, lassen neue
Lösungsmuster vor unserem inneren Auge entstehen, erweitern
unser Verständnis und verändern
unsere Wirklichkeit.
Visionen haben heilende Kraft: Wir
können mit ihrer Hilfe das Hormon-
system stärken und erkrankten Zellen den Weg zur Gesundung zeigen. Bilder, die krank machen,
werden zu Krankheitsbildern.
Dagegen werden Vorstellungen zu
Medizin, wenn sie durch heilende
Bilder ersetzt werden.
192 Seiten, DM/sFr 19,80/
öS 155,00, ISBN 3-89385-158-5